El Anillo Verde

D1548113

PLAZA & JANES EDITORES, S.A.

Portada de

GS-GRAFICS, S. A.

Ilustración portada:

JOAQUIN MORALES

Primera edición: **Noviembre, 1992**

Quedan rigurosamente prohibidas, sin la autorización escrita de los titulares del «Copyright», bajo las sanciones establecidas en las leyes, la reproducción parcial o total de esta obra por cualquier medio o procedimiento, comprendidos la reprografía y el tratamiento informático y la distribución de ejemplares de ella mediante alquiler o préstamo públicos.

© 1992, Alberto Vázquez-Figueroa
Editado por PLAZA & JANES EDITORES, S. A.
Enric Granados, 86-88. 08008 Barcelona

Printed in Spain — Impreso en España

ISBN: 84-01-32478-5 — Depósito Legal: B. 36.688 - 1992

Impreso en Printer, Industria Gráfica, s.a.
Sant Vicenç dels Horts (Barcelona)

Monteoscuro era un lugar precioso.

Hubiera sido el más hermoso para vivir y crecer que pueda imaginarse, a no ser por el hecho de que la mayoría de sus habitantes se llevaban entre sí como perros y gatos.

Por qué se odiaban tanto las gentes de Monteoscuro es algo que jamás entendió nadie por más que lo intentara, aunque por lo que contaban los ancianos, los problemas de remontaban a tiempos muy lejanos, cuando un cerdo de la familia de los que más tarde se llamarían para siempre los *Gorrinos* devoró en una sola noche todo un campo de berzas de quienes acabarían recibiendo el apodo de los *Berzotas*.

Parecía una broma, pero desde el día de aquella vieja disputa, que dejó un saldo de cuatro muertos, los habitantes del pueblo se dividieron en *Gorrinos* y *Berzotas*, dependiendo de que pertenecieran a uno de los dos bandos en que se escindió a partir de aquel momento la maltratada comunidad.

Dentro de uno y otro de esos bandos, e indistintamente, *Gorrinos* y *Berzotas* se subdividieron a su vez en ricos y pobres, fascistas y comunistas, ateos y «meapilas» e incluso en hinchas del «Monteoscuro Fútbol Club» y forofos de la «Unión Deportiva Monteoscuro».

Monteoscuro debía su nombre al hecho de que se alzaba en la cima de una colina rodeada por un extenso y frondoso bosque que fue famoso en su tiempo por la gran cantidad de águilas reales que anidaban en él, aunque hacía ya casi medio siglo que sobre las copas de sus árboles no cruzaba ni la sombra de un águila.

Tan sólo el viejo Arcadio recordaba esas águilas, ya que había vivido siempre en el bosque, al que adoraba, pues siendo como era el único hombre sensato que quedaba en el pueblo, entre todos los vecinos decidieron —en un sorprendente rapto de lucidez que aún no han logrado explicarse— elegirle como guardián de aquel prodigioso tesoro natural hasta el día en que los jueces decidieran poner punto final a los mil pleitos que habían conseguido que nadie pudiera disfrutar de las ingentes riquezas que el Creador había puesto al alcance de sus manos, y que se desperdiciaban tontamente año tras año.

La resina, los frutos y la madera de aquellos árboles valía una fortuna que en otro tiempo proporcionó prosperidad al pueblo, pero está ampliamente demostrado que, si bien el amor hace más llevadera la pobreza, el odio impide disfrutar de la abundancia, y ni aun todo el oro del mundo hubiera bastado para acallar los rencores que para desgracia de sus habitantes se habían adueñado de Monteoscuro como se adueñan los murciélagos del cielo en cuanto cae la noche.

Los ricos pretendían hacerse muchísimo más ricos, los pobres, menos pobres, los *Gorrinos* estaban dispuestos a sacrificar sus intereses con tal de arruinar a los *Berzotas*, y el resultado lógico era que todos perdían, y el antaño esplendoroso bosque, del que una pacífica comunidad podría haber vivido con una cierta holgura, languidecía a ojos vista.

Por lo que a Arcadio se refería, por familia le correspondió pertenecer al clan de los *Berzotas* y por situación económica a la facción de los más pobres, aunque en realidad se sentía profundamente feliz viviendo solo en su cabaña del bosque, sin recibir prácticamente más visitas que la de su hija Catalina y su nieto, Gacel.

Gacel era un niño extraño y sensible, que había heredado de su abuelo unos inmensos ojos negros, un profundo amor a la Naturaleza, y un nombre exótico, extraído de uno de aquellos viejos y sobados libros de aventuras africanas que Arcadio solía leer.

Además de todo ello, Gacel tenía un padre inmenso que siempre apestaba a vino, un amigo, Benito, que era la única persona con la que podía hablar de algo serio en este mundo, y una amiga, María Manuela, de pelo negro, ojos marrones y dientes muy blancos que cuando se reía olía a limón.

Y por último tenía una linda maestra, doña Alicia, a la que también le hacía partícipe de ciertos secretos.

Pero la vida de Gacel en Monteoscuro tan sólo comenzaba a ser realmente agradable a media tarde, cuando al salir de la escuela tomaba el camino que conducía a la cabaña de su abuelo, pues para el niño aquel paseo era como avanzar dejando caer una pesada carga, y cuando llegaba a la orilla del río y distinguía a Arcadio en el porche, los pulmones parecían llenársele de un aire fresco y limpio.

Arcadio nunca tuvo televisión, que de poco le hubiera servido dado que tampoco tuvo nunca luz eléctrica, pero la verdad es que jamás existió un solo programa que hiciera permanecer a Gacel tan atento a la pantalla como solía permanecer pendiente de la voz de su abuelo, sobre todo cuando contaba apasionantes historias de lejanos mares o del gigantesco oso que habitaba en lo más profundo del bosque.

Gacel estaba convencido de que su abuelo era tan sabio porque había leído todos los libros que se han escrito en este mundo, ya que setenta y cuatro años leyendo dan para mucho, y recordaba siempre que siendo aún muy pequeño un día le dijo:

—Los libros son la memoria de la Humanidad, y al igual que un hombre que careciese de memoria sería poco más que un borrego, una Humanidad que careciese de libros sería poco más que un rebaño de ovejas.

Arcadio cuidaba con sorprendente amor sus libros, amontonándolos en pilas y en hileras, y era capaz de decir dónde estaba cada uno; en qué rincón o en qué estante, e incluso era capaz de describir el color de las tapas, y pronunciar correctamente el nombre del autor aunque fuese extranjero.

Gacel aún no sabía mucho de libros, pero pese a ser tan joven tenía plena conciencia de que si su abuelo había llegado a ser el hombre que era gracias a la lectura, y su mayor deseo se centraba en ser como él, le constaba que los libros constituirían el único camino seguro para alcanzar la paz que él había conseguido cuando todo a su lado era odio, rencores y violencia.

La violencia siempre había sido algo que aterrorizara a Gacel, pues había visto tanta, que la simple idea de que la puerta al abrirse permitiera distinguir la silueta de su padre dispuesto a golpear a quien se le pusiera por delante, era algo que le enfermaba puesto que desde que tuvo uso de razón recordaba a su padre como un borracho agresivo que una vez, de un solo puñetazo, dejó a su madre inconsciente por más de dos horas.

Tal vez por ello, porque desde la misma cuna tan sólo había percibido gritos, agresividad y violencia a su alrededor, Gacel amaba tanto la paz del bosque y su impagable silencio.

Y una absurda violencia fue lo que Gacel volvió a encontrar cuando su madre le llevó por primera vez a la ciudad, pues apenas descendieron del autobús, dos gamberros pasaron con una moto, aferraron el bolso de Catalina con todo cuanto tenía de valor, y la arrastraron más de ocho metros visto que se resistía a soltarlo.

El niño recordaría siempre aquella escena como uno de los momentos más terribles de su vida, ya que poco faltó para que un enorme camión los aplastase, y lo que más le horrorizó fue el comprobar que los transeúntes siguieron su marcha como si el hecho de que en cuestión de segundos una pacífica mujer hubiese sido robada, maltratada y casi destrozada por un camión fuese algo que careciese de importancia.

Estaba allí, llorando de rabia y de impotencia en mitad de la calle y le costaba creer que nadie se aproximara a consolarle, a tenderle una mano, o a ofrecerle un pañuelo que viniera a impedir que se comiera los mocos.

Jamás se sintió tan desgraciado, aunque tal vez no

sea así exactamente, porque poco después se sintió aún más, y fue cuando al fin un guardia acertó a pasar por allí y los condujo a un hospital en el que de inmediato se llevaron a Catalina a los quirófanos, abandonando al niño en una sala que olía a dolor y miedo, puesto que en aquella fría estancia de paredes verdosas el miedo se palpaba como si fuera un objeto sólido.

Y Gacel era sin duda el más asustado de todos los presentes, al imaginar que su madre se estaba desangrando al otro lado de una roja puerta, y era tanta la angustia que le oprimía el pecho, que incluso le faltaba el aliento, como si aquel altísimo edificio en el que ni siquiera podían abrirse las ventanas se hubiese quedado de improviso sin aire.

Al poco el mundo pareció haberse vuelto loco, y fue en el momento en que llegaron cuatro ambulancias haciendo sonar las sirenas, puesto que de inmediato comenzaron a vomitar gente ensangrentada sobre la que se precipitó una nube de enfermeros que empujaban camillas dando alaridos pidiendo paso.

Por lo que el niño pudo averiguar, un «coche-bomba» acababa de hacer explosión en la esquina de una plaza cercana causando docenas de víctimas que necesitaban una atención urgente, por lo que a Catalina la arrinconaron en un pasillo olvidándose de ella como de un trasto inútil.

Gacel jamás conseguiría explicarle más tarde a su amigo Benito cómo fue aquello, ya que el mundo pasó a convertirse en un maremágnum de gritos, carreras, maldiciones, llantos, doctores, policías, fotógrafos y cámaras de televisión en el que todos se empujaban unos a otros, y a él le pisotearon sin que nadie se dignara responderle cuando pretendía averiguar dónde estaba su madre.

Era ya noche cerrada cuando al fin la encontró mal curada y medio atontada, pero con tanto herido no quedaba una sola cama disponible, por lo que la echaron del hospital, dolorida, muerta de hambre y sin dinero ni lugar donde dormir.

Se vieron obligados a acurrucarse en un portal, y al día siguiente tuvieron que pedir limosna.

Extender la mano y suplicar a los transeúntes unas tristes monedas, con las que poder comer y reunir para el viaje de regreso, se le antojó a Gacel la más triste y dolorosa experiencia por la que tuviera que atravesar un ser humano.

¡Y eran tantos!

En cada esquina crecía un pedigüeño, y era como si de improviso toda la Humanidad se hubiese puesto de acuerdo a la hora de mendigar, por lo que tardaron casi tres días en conseguir el dinero necesario para volver a casa.

¡A casa!

A Catalina se le habían infectado las heridas, parecía haber envejecido quince años, llegaba sucia, hambrienta y agotada, pero aun así, su marido, que estaba como siempre borracho, le propinó una soberana paliza por haberse dejado robar el bolso y el dinero.

A Gacel le entraron ganas de matarle.

Le saltó encima, pero de un solo bofetón aquel gigantesco hombretón descontrolado le dejó semiinconsciente, y en cierto modo fue lo mejor que pudo ocurrir, pues de haber tenido fuerzas suficientes, entra dentro de lo posible que el niño hubiera empuñado un cuchillo de cocina para clavárselo a su padre en las tripas.

—Los hombres han convertido la tierra en un infierno, y todo el que la pisa acaba transformándose pronto o tarde en un demonio.

Aquella frase de su abuelo cuando al día siguiente le contó cuanto le había ocurrido en la ciudad, impresionó a Gacel como nada le había impresionado hasta ese instante, y es de suponer que serviría para hacerse una idea de las razones que tuvo para comportarse más tarde de la forma en que se comportó.

Un hombre con menos temple que Arcadio hubiera cargado su vieja escopeta para pegarle dos tiros a su yerno por haber maltratado tan salvajemente a Catalina, pero Arcadio sabía muy bien que la violencia no es una manera inteligente de responderle a la violencia, y poco beneficio proporcionaría a su nieto si acababa de una vez por todas con los únicos brazos que habían sido capaces de procurarle algún tipo de sustento.

Bernardo, que así se llamaba el padre de Gacel, era en verdad un sucio borracho agresivo, pero seguía siendo, también, el hombre que se rompía a diario el espinazo para intentar sacar de la miseria a su mujer y su hijo.

—Cuando se casó con tu madre era un buen chico —había comentado esa noche Arcadio—. Y quizá no tiene la culpa de que la vida y los odios de este maldito pueblo hayan acabado por hacer de él lo que es ahora.

Y si algún ansia de revancha le quedaba, se le olvidó al domingo siguiente, cuando al regresar de poner cepos a los conejos, Bernardo se tropezó de improviso con el viejo oso, que a poco más le arranca la cabeza, y que lo persiguió en tal forma que acabó expulsando todo el alcohol que llevaba en la sangre en una sola carrera.

Gacel le vio llegar despavorido y con los ojos casi fuera de las órbitas, sangrando por cien rasguños y lanzando boqueadas, para dejarse caer de bruces en la cama y comenzar a aullar como si aún mantuviera a la terrible fiera en los talones.

Más tarde estuvo toda una semana despertándose sobresaltado a medianoche, sudando frío y dando gritos, y cuentan que a partir de aquel espantoso día no sólo no volvió a poner el pie en el corazón del bosque, sino que incluso pareció haber perdido parte de su desmesurada afición a la bebida.

Algunos cazadores —Bernardo no, desde luego— tomaron sus perros y sus armas y se adentraron en la espesura con el fin de dar muerte a una bestia que después de unos años de calma parecía estar volviéndose cada vez más peligrosa, pero aunque le siguieron la pista durante cuatro días, acabaron perdiendo el rastro en los barrancos del Norte, allí donde un laberinto de cuevas y maleza conseguía que incluso los más feroces mastines se cagaran de miedo.

Catalina le suplicó a su padre que abandonara la cabaña y pasara al menos un par de meses con ellos en Monteoscuro, pero la respuesta que obtuvo fue contundente y no dejaba opción a esperanza de cambio:

—Prefiero una docena de osos por vecinos, que a una sola comadre de ese pueblo de mierda.

Razones le sobraban pues ningún colmillo de oso fue nunca tan afilado como las lenguas de las viejas comadres de Monteoscuro, ya que había incluso quien aseguraba que los libros que Arcadio leía no eran más que tratados de brujería, y que si vivía en el bosque era para poder llevar a cabo sin testigos sus horrendos «aquelarres» nocturnos.

Justificaban que no le tuviera miedo al oso con la afirmación de que ni siquiera una fiera tan temible se atrevería a atacar a un siervo del demonio, y aunque incluso el cura y la maestra alzaron sus voces en contra de quienes propalaban tan absurdos embustes, la cosa llegó a tal punto que a pesar de su aversión a la violencia Gacel se vio obligado a zurrarse muy en serio con un gordinflón que se atrevió a llamarle «nieto de Satanás».

Al fin y al cabo, se suele decir que a los niños les gusta seguir el ejemplo de sus mayores, sobre todo si es malo.

Una ventosa tarde de marzo que Gacel recordaría hasta el fin de sus días, Arcadio no se movió cuando llegó a la orilla del río, por lo que comprendió que su abuelo había muerto tal como había vivido: con un libro en las manos y una infinita paz en el corazón y en la mirada.

Pasó la noche con la cabeza recostada en sus rodillas, tratando de hacerse a la idea de que ya jamás permanecería horas atento a sus palabras, ni darían largos paseos por el bosque, aunque no lloró demasiado ya que el río lloraba por él al pasar a su lado, y cada gota de agua era una lágrima que al rozar las orillas sollozaba.

Y luego, de amanecida, lloró también el bosque, pues sin haber llovido y sin que bastara la humedad del rocío, cada hoja comenzó a destilar un agua amarga cuando los árboles comprendieron al fin que aquel que les había amado tanto, sin esperar que le dieran más que sombra, se había ido para siempre.

Tres días más tarde comenzaron las disputas por la herencia.

«Herencia», ¡qué palabra tan triste!

La «herencia» del viejo Arcadio tan sólo eran libros; centenares de manoseados volúmenes comprados de segunda y aun de tercera mano, tan vetustos, que únicamente alguien que los mimara tanto como él sería capaz de leerlos sin que se le deshicieran entre las yemas de los dedos.

Viejos pero hermosos libros que Arcadio había advertido que deseaba donar a la escuela para que con ellos los niños de Monteoscuro aprendieran a convivir en paz, pero que Bernardo se negó a ceder, alegando que los libros de un *Berzotas* jamás irían a parar a las manos de los hijos de un *Gorrino*.

—Si los *Gorrinos* quieren libros que los compren —dijo.

No era cierto. ¡No pretendía que los *Gorrinos* compraran libros para sus hijos; lo único que pretendía era venderlos!

Catalina se opuso alegando que había algunos que el día de mañana le enseñarían muchas cosas a Gacel, pero su marido argumentó que si pese a tanto leer Arcadio no había llegado más que a guardabosque, más valía que el niño no volviera a abrir un solo libro en lo que le restaba de vida.

Bernardo no era hombre al que se le pudiera explicar que su suegro nunca leyó para ser más rico o más importante, sino tan sólo para ser algo mejor y algo más sabio.

El día en que un gordo maloliente cargó los libros en una camioneta y se alejó dejando a sus espaldas una nube de humo, Gacel tuvo la desagradable sensación de que su abuelo había muerto de nuevo y que en esta ocasión lo habían matado definitivamente.

Con el dinero de los libros su padre se fue a un burdel de la ciudad en el que se encerró tres días, y cuando de vuelta a casa Catalina le recriminó por su acción y porque no hubiera acudido al trabajo en ese tiempo, le propinó tal puñetazo que le aflojó dos dientes.

Fue esa noche cuando Gacel tomó la decisión de abandonarlo todo y subirse a los árboles.

¿Qué otra cosa podía hacer? ¿Vivir como los adultos? ¿Odiar como ellos odiaban?

Con la primera claridad del día recogió sus escasas pertenencias, cruzó el río, trepó a la copa del gran roble que daba sombra a la tumba de su abuelo, y fue en ese instante cuando le ocurrió la primera cosa en verdad sorprendente, porque en aquel mismo momento comprendió que al fin había encontrado su destino.

Ya anteriormente se había subido a docenas de árboles, ¡qué niño no lo ha hecho!, pero cuando ascendió aquel día a las ramas más altas, abrigó la certeza de que jamás podría caerse, porque aquél ya no era un simple roble centenario, sino una inmensa mano que se extendía para acogerle como si acabara de regresar al hogar del que no debió salir nunca.

Aquel roble era su casa, y sus ramas sus calles, y sus hojas su techo, y un viejo nido abandonado sería en adelante su cama, porque aquel árbol, y todos los infinitos árboles del bosque llevaban siglos aguardando que un niño como Gacel fuera a vivir en ellos.

No estaba loco ni estaba intentando justificar una conducta que los adultos considerarían disparatada, sino que en realidad era lo que advirtió desde el momento en que se acomodó justo sobre la tumba de Arcadio y tuvo la sensación de que éste le estaba mirando y sonreía.

Muy pronto se acostumbró a caminar por las ramas del roble con la misma naturalidad con que antaño lo hacía por el suelo, sin temor y sin vértigo, y le pareció todo tan lógico, sencillo y sin problemas, que de improviso descubrió que había cambiado de árbol pero aun así el efecto seguía siendo el mismo, pues no era únicamente el copudo roble, sino todos los componentes de aquel inmenso bosque los que le recibían con los brazos abiertos, aceptando sin reservas la validez de sus motivos para no volver a pisar jamás la tierra.

Era en verdad una sensación maravillosa contemplar el mundo como acostumbran a verlo los pájaros o las ardillas, advirtiendo al propio tiempo que no les atemorizaba su presencia sino que desde el primer momento le aceptaban como un vecino más de las alturas; un amigo con el que compartir avellanas y nueces; alguien que tan sólo pretendía ser tan libre como ellos mismos.

Más tarde Gacel descubrió una gruesa rama que se inclinaba sobre la superficie de un remanso del río, de tal forma que podía bajar y bañarse sin necesidad de rozar siquiera las orillas, para trepar de nuevo al maravilloso país de las alturas, allí donde tenía la certeza de que jamás acabaría convirtiéndose en demonio.

Llegó la noche y el viejo nido fue su cama. Poco después un enorme búho acudió a hacerle compañía hasta que la luna llena barrió las sombras de sus primeros miedos, y al fin durmió como jamás lo había hecho anteriormente; sin frío y sin calor; sin pesadillas y sin sueños.

Le despertó la angustiada voz de Catalina, que gritaba su nombre.

—¡Estoy aquí, mamá! —le respondió al instante—. No tengas miedo.

La buena mujer alzó la cabeza, le vio y se cayó de espaldas.

Fue cómico en verdad, porque al mirar hacia lo alto perdió el equilibrio precipitándose hacia atrás, y como no le quedaron fuerzas ni para levantarse preguntó desde el suelo qué demonios estaba haciendo en semejantes alturas.

Gacel le explicó sus razones, y se las explicó con mucha calma, haciendo especial hincapié en las enseñanzas de su abuelo, por lo que durante un par de minutos la pobre Catalina permaneció en silencio aunque con la boca abierta, con la misma expresión que solía quedársele a Ramoncín el *Gurriato* cuando aparecía una chica desnuda en la pantalla de la televisión.

Luego ordenó a su hijo que bajara, absolutamente convencida de que lo haría, puesto que hasta aquella mañana el niño jamás había desobedecido ni le había proporcionado el más mínimo disgusto.

Pero Gacel se había cansado; había perdido para siempre la confianza en los adultos y acababa de descubrir que se sentía muy feliz a veinte metros de altura, por lo que le respondió que ni el mismísimo Presidente del Gobierno conseguiría que volviera a poner un pie en el infierno que quedaba allá abajo por nada de este mundo.

Catalina se alejó llorando a mares y volvió con Bernardo.

Pero también resultó inútil.

Les dio tortícolis de tanto mirar hacia lo alto, y se quedaron roncos de llamar, pero no consiguieron distinguir a su hijo allí donde se encontraba; en la mismísima copa del gran roble, admirando cómo un sol de fuego se ocultaba tras los últimos árboles.

¡Qué a gusto se sentía! Qué sensación de triunfo experimentaba el niño al advertir que sin pretenderlo había descubierto que existía otra galaxia; un universo prodigioso en el que incluso las viejas leyes de la gravedad parecían haber perdido sus propiedades, puesto que cada hoja era como una mano que se alzara para sujetarle, y cada rama una plataforma que le invitaba a que asentara los pies.

El bosque, todo el bosque, era su amigo y él lo sabía.

Dos días después vino a verle Benito.

Lo enviaba Catalina con dos panes, un queso, un salchichón y una tarta de arándanos, tal vez imaginando que de ese modo podría tentarle obligándole a regresar al recordar las cosas buenas que jamás encontraría en el bosque.

Las devoraron en buena armonía cómodamente sentados en una rama baja.

En un principio a Benito pareció divertirle aquella extraña aventura y quiso subir al nido, pero en cuanto miró hacia abajo le dio un vahído, se precipitó al vacío y milagro fue que la punta de una rama le enganchara por el fondillo de los pantalones, quedando así, braceando y dando gritos de espanto, hasta que Gacel pudo atraparle por un pie y ayudarle a ponerse a salvo.

El pobre muchacho se llevó un susto de muerte, y lo que no entendía era el hecho de que su amigo circulara por las alturas con las manos libres y sin caerse, cuando él, ni aun aferrándose con uñas y dientes conseguía mantener el equilibrio.

—Debe ser cosa de la fe —replicó Gacel no demasiado convencido—. *Sé* que no voy a caerme y no me caigo.

—¿Pero por qué lo haces? —inquirió el otro, confuso.

—Porque he decidido regresar a los orígenes —fue la respuesta.

El otro le miró sorprendido e inquirió:

—¿Qué quieres decir con eso?

—¿Recuerdas que la maestra aseguraba que los hombres descienden de los monos? —quiso saber Gacel.

—Sí, claro que lo recuerdo.

—¿Y los monos de dónde descienden?

Benito dudó unos instantes y al final negó convencido.

—No tengo ni idea —admitió.

—Pues los monos descienden de los árboles, tonto —le aclaró Gacel, riendo—. Por eso yo me he saltado un eslabón y he decidido regresar directamente a los árboles. Y aquí soy feliz.

El regordete Benito tardó en replicar, pues nunca era capaz de discernir cuándo su amigo le hablaba en serio y cuándo en broma, y por último señaló:

—Aunque ahora seas tan feliz como aseguras, no seguirás siéndolo por mucho tiempo, porque nadie puede vivir para siempre en la copa de un árbol.

Benito *suponía* que nadie resistiría mucho tiempo en las copas de los árboles y probablemente tenía razón, pero lo cierto es que Gacel vagabundeaba por allá arriba como lo hiciera antaño por tierra firme, y empezaba a descubrir que dependiendo de la altura a la que se encontrase, las formas de vida, la luz y los colores eran muy diferentes, pues poco tenía que ver el bosque bajo y oscuro en que ramoneaban los ciervos o correteaban los conejos y las ardillas, con las más altas copas achicharradas por el sol y barridas por el viento en que anidaban los gavilanes.

Transitar por las alturas del bosque significa tanto como penetrar en su alma para acabar aceptando que no se trataba tan sólo de un sinfín de árboles que habían crecido los unos junto a los otros por capricho, sino que constituían la esencia misma de la vida, y muy pronto a Gacel le asombró descubrir que aquellos viejos árboles tanto tiempo olvidados comenzaban a dar toda clase de unos frutos que, según lo que sabía sobre la Naturaleza, no les correspondían.

No eran tan sólo nueces, almendras, bellotas o castañas; eso no le hubiera sorprendido; lo increíble y lo que aún nadie ha conseguido explicar, es el hecho indiscutible de que en las más altas ramas de un pino o un algarrobo nacieron, de la noche a la mañana, peras, manzanas, higos, gruesos melocotones, rojas fresas del tamaño de un puño, e incluso inmensos racimos de uvas ya maduras en pleno mes de junio.

Es de suponer que cuesta creerlo, del mismo modo que cuesta aceptar el relato de un sorprendente milagro, pero así fue y así pasará a la historia de las cosas fantásticas que han ocurrido a lo largo de la Historia.

Así fue, y si así no hubiera sido y prodigios aún mayores no hubieran ocurrido en aquel bosque, nadie se hubiese molestado en investigar sobre ellos y tratar de explicarlos pese a que resulta evidente que nadie tuvo jamás respuesta lógica alguna para tan sorprendentes acontecimientos.

Lo cierto es, se crea o no, que poco importa el caso, que el bosque floreció en cuestión de días y le ofreció a Gacel sus frutos, ¡tantos y tan sabrosos!, que habrían bastado para alimentar a todo un ejército que hubiera sabido trepar a sus ramas a buscarlos.

¡Y las flores! ¡Cómo eran de increíbles las flores que crecían en las copas de aquellos árboles!

Gacel se sentaba allá arriba, junto a los nidos de los impasibles gavilanes y ante él se extendía un jardín infinito de infinitos colores; un jardín como jamás contempló nadie anteriormente; un jardín colgando a treinta metros de altura; un jardín que era como una alfombra tan tupida, que todo un colegio hubiera podido revolcarse sobre ella sin temor a precipitarse en el vacío.

Benito se asombraba cuando acudía a visitar a su amigo, y no podía dar crédito a sus ojos cuando éste le ofrecía las más sabrosas frutas, y lo mismo le sucedió a María Manuela e incluso a doña Alicia, la maestra, que llegó con la absurda esperanza de obligarle a volver a clase.

Tras pasar todo un domingo escuchando razonamientos y mirando a su alrededor, acabó por lanzar un hondo suspiro y admitir resignada:

—Por mucho que lo intentara, jamás podría enseñar cosa alguna que pueda compararse a lo que enseña este bosque.

Señaló, sin embargo, que no resultaba conveniente que las gentes del pueblo tuvieran noticia de cuanto allí estaba sucediendo, puesto que no se hacía necesario haber estudiado magisterio para llegar a la conclusión de que semejantes fenómenos en cierto modo absurdos atraerían sobre el bosque y sobre Gacel una malsana curiosidad que nada bueno acarrearía.

Fue un secreto por tanto en un principio; secreto del que únicamente se hizo partícipe a Catalina, puesto que ni aun del propio Bernardo se fiaban.

¡Cómo ha cambiado el mundo! En las viejas historias de los libros más viejos, el bosque era un lugar oscuro y tétrico que espantaba a los niños, mientras que ahora el terror se ocultaba en las ciudades, y el profundo bosque pasaba a convertirse en el único lugar en que el miedo no conseguía instalarse.

Quienes sí se instalaron poco después fueron las águilas.

Llegaron por parejas, cuatro en total en poco más de una semana, y debían venir de muy lejos; quizá de otros países, pero venían como si supieran de antemano que aquél era su destino pese a que ni en la memoria de los más ancianos del lugar se conservaba el recuerdo de cuándo habían anidado por última vez en Monteoscuro.

En vida, Arcadio hablaba de las águilas reales como de algo muy remoto en el tiempo, pero ahora estaban de nuevo allí, cuatro hermosas parejas, y a Gacel se le erizó la piel al verlas volar en círculo en busca de un lugar para instalar sus nidos.

Parecían en cierto modo sorprendidas, como si también a ellas les costase aceptar que aquel bosque era real y eran también auténticos sus frutos, y cuando al fin una de las parejas fue a posarse a menos de veinte metros de donde el chiquillo se encontraba, no parecieron mostrar temor alguno, como si el hecho de que un niño estuviese tranquilamente encaramado en una rama a treinta metros de altura fuese algo natural en un paisaje tan absurdo.

¿Por qué volvieron las águilas reales?

¿Por qué, tras más de un siglo de ausencia, habían viajado durante días o semanas para anidar en el mismo lugar en que quizá nacieron sus ancestros?

Ésa es otra de las incontables preguntas a las que nadie ha sabido responder hasta el presente; otro de los milagros que ocurrieron en aquel bosque en aquel tiempo, y muchos quieren creer que fue el propio Arcadio el que acudió en su busca y les susurró al oído que allá muy lejos, en un lugar llamado Monteoscuro, un niño sensible y solitario las estaba aguardando.

Tampoco nadie consiguió averiguar si fue el propio Benito quien lo contó en la escuela, o un vecino del pueblo las distinguió a lo lejos, pero lo cierto es que muy pronto trascendió la noticia de que ocho águilas reales anidaban en el bosque, y eso atrajo curiosos que era lo último que aquel lugar estaba necesitando.

Y es que el año había sido escaso en lluvias, la capa de hojarasca que cubría el suelo estaba ya reseca y en disposición de arder como la tea, y Gacel sabía muy bien, porque su abuelo se lo había enseñado, que el fuego ha sido siempre —tras el hacha del hombre— el peor enemigo de los bosques.

Le pidió a la maestra que convenciera al alcalde para que impidiera a los intrusos molestar a las águilas, pero resultó inútil, pues el muy animal de don Genaro argumentó que el hecho de que cuatro parejas de águilas reales hubieran decidido afincarse en el término municipal constituía un motivo de orgullo y un atractivo turístico para Monteoscuro.

Y es que el águila real es una de las muchas especies que el ser humano ha colocado en peligro de extinción, y eso la ha obligado a vivir en zonas difícilmente accesibles a los naturalistas. Tenerlas casi al alcance de la mano se convertía por tanto en una golosa tentación, pero Arcadio siempre decía que en verano el bosque seco se encuentra tan indefenso como un niño recién nacido, y basta con que un imbécil encienda un cigarrillo o intente freírse un huevo para que destruya en cuestión de horas una labor de siglos.

¿Cómo se podía consentir que docenas de intrusos llegados de Dios sabe dónde se dedicaran a molestar a las águilas y a los centenares de otras aves que también estaban criando, o que en un estúpido descuido prendieran fuego a semejante paraíso?

Gacel se pasaba las noches en blanco buscando una solución al problema, pero no conseguía encontrarla, pues no era nadie para frenar a aquella gente, ni se sentía con fuerzas para intentarlo.

Al fin llegaron una mañana de domingo y el chiquillo temió lo peor, aunque una vez más el bosque le sorprendió, pues supo defenderse por sí solo, como jamás imaginó que fuera capaz de hacerlo.

En primer lugar atacaron las abejas; millones de abejas que se lanzaron sobre los recién llegados como si fueran el sabroso «maná» que habían estado esperando durante años y el chiquillo disfrutó viendo a aquella pobre gente correr desesperada y dando gritos para acabar por lanzarse al río y pasarse horas sin atreverse más que a sacar un instante la cabeza y respirar, puesto que en cuanto permanecían más de un minuto con ella fuera del agua, de nuevo sufrían el ataque de un enjambre que no cesó en su furia hasta bien entrada la tarde.

Gacel jamás consiguió saber de dónde salieron tantas abejas, puesto que durante sus largas correrías por la espesura tan sólo se había tropezado con algún panal que otro, y jamás se mostraron para nada agresivas, pero aquel domingo parecían estar no obstante particularmente molestas o tenerle inquina muy especial a los intrusos, puesto que a él, que se encontraba muy cerca, ni tan siquiera se molestaron en atacarle.

Fuera como fuera, y salieran de donde salieran, lo cierto es que el grupo de curiosos se vio obligado a regresar a Monteoscuro ya oscurecido, y durante toda la noche se pudieron escuchar sus lamentos, e incluso a dos mujeres se las tuvieron que llevar en ambulancia al día siguiente.

La mayor parte desistieron.

Un ataque masivo de abejas enloquecidas desanima al más entusiasta y el resultado lógico fue que los simples curiosos y los naturalistas domingueros decidieron que el precio a pagar por ver un águila de cerca resultaba excesivamente doloroso.

Pero hubo tres; tres auténticos científicos llegados de la capital, que parecían empeñados en estudiar a las águilas costase lo que costase, y en cuanto les desapareció la hinchazón del cuerpo se lanzaron de nuevo a la aventura equipados como si fueran astronautas.

¡Había que verles!

Gacel los observaba desde la rama más alta, asombrado al descubrir que avanzaban como el monstruo de Frankenstein, dentro de gruesos trajes que les obligaban a sudar a chorros, con grandes sombreros de los que colgaban gruesos velos, mientras una pesada carga de cámaras y mochilas les impedía avanzar con normalidad.

El primero se cayó a un pozo.

Nadie había visto antes ese pozo que debía encontrarse recubierto por la hojarasca, pero allá fue a parar el infeliz rompiéndose una pierna, para sufrir de nuevo el instantáneo ataque de las abejas.

El segundo se subió al viejo roble bajo el que descansaba Arcadio, y de improviso una gruesa rama se dobló como si fuera de goma, precipitándole al vacío mientras lanzaba tal alarido de terror que incluso las águilas alzaron el vuelo y se perdieron en la distancia para no volver en todo el día.

Lo del tercero fue peor.

El tercero era un hombretón enorme y rudo, fuerte como una roca e incapaz de darse por vencido por muy adversas que fueran las circunstancias, por lo que al fin encontró un lugar idóneo desde el que filmar un nido.

Con infinita paciencia y mil arduos trabajos, visto que tenía que luchar también con las abejas, logró montar un complejo tinglado coronado por una enorme cámara que parecía un cañón, pero apenas había conseguido acomodarse dispuesto a captar cada uno de los movimientos de las águilas, de lo más profundo de la espesura surgió la mastodóntica figura de un gigantesco oso pardo, que de un solo rugido le obligó a salir corriendo despavorido y dando gritos, como si le persiguiese el mismísimo diablo.

Fue regando a sus espaldas cámaras, cantimploras e incluso el pesado traje de astronauta, pues a medida que corría se iba despojando de cuanto le molestaba, de tal modo que cuando por fin se lanzó otra vez de cabeza al río andaba ya en paños menores.

Tras poner en fuga al último de los naturalistas, persiguiéndole hasta la orilla misma del río, el viejo oso volvió muy lentamente sobre sus pasos dando la sensación de que el terrible esfuerzo que había hecho al arrastrar aquella pesada mole de más de doscientos kilos por entre la espesura le había dejado extenuado y de un humor más propio de un perro hambriento que de un oso.

Gacel le observaba convencido de que aquella temible fiera no se encontraba en condiciones de trepar a un árbol, pero aun así su furia le impresionó, pues lanzando feroces rugidos que ponían los pelos de punta la emprendió a zarpazos con cuanto el fugitivo había dejado en su precipitada huida, destrozando en un santiamén el traje, la mochila e incluso la cámara de cine que tanto esfuerzo había costado levantar.

Por último se alejó resoplando fatigosamente y dando bufidos, y aunque en un determinado momento alzó los ojos y miró de frente al chiquillo, éste no advirtió agresividad alguna en aquella mirada, sino más bien un profundo cansancio y una especie de invencible apatía, como si acabase de llegar al convencimiento de que se encontraba demasiado viejo como para continuar ejerciendo el duro oficio de ogro del bosque.

Una hora más tarde y tras cerciorarse de que no rondaba por lo menos en un kilómetro a la redonda, Gacel descendió hasta donde aparecían desperdigados los restos del estropicio, y saltando de raíz en raíz para no pisar tierra, comprobó que lo único que no había dejado inservible era un par de libros de pájaros, media docena de refrescos, unos prismáticos y un pequeño magnetófono.

Cuando rebobinó este último y lo puso de nuevo en marcha descubrió que había permanecido todo el tiempo funcionando, por lo que el bosque se llenó de pronto con los gritos de espanto del naturalista que corría, y ya casi al final de la cinta, con los rugidos del oso, tan cercanos, que milagro parecía que no hubiera acabado devorando el aparato de un simple bocado.

Constituía a todas luces un sonido espeluznante, pues aquel magnetófono debía ser de lo más sofisticado que se fabrica, ya que en cuanto el chiquillo aumentó su volumen, hasta las ardillas corrieron a esconderse en los huecos de los árboles.

Aquel precioso trasto también funcionaba como radio, con lo que de allí en adelante se convirtió en una gran compañía para el niño, puesto que le permitía escuchar música y las retransmisiones de los partidos de fútbol de la capital, de tal modo que su vida en el bosque empezó a ser realmente cómoda, sin que le asaltara la más mínima tentación de pisar tierra nunca jamás.

Con hojas, ramas y algunas tablas de la cabaña de su abuelo se había construido una especie de caseta allí donde se alzaba el viejo nido, y aunque no era muy grande, podría considerarse casi un hogar que le protegía de las escasas lluvias y le permitía guardar sus cosas y dormir a cubierto.

Benito y María Manuela le habían ido trayendo cuanto necesitaba, y como se acercaban las vacaciones y no tendría que ir a la escuela, su madre acabó por resignarse ante una «chifladura» que no parecía ser más que un capricho pasajero, ya que lo mismo daba que un chiquillo se pasara el verano pegándole patadas a un balón y destrozando alpargatas que encaramado a un árbol.

Muy pocos vecinos de Monteoscuro decidieron volver al bosque, dado que los ataques de las abejas y, sobre todo, la historia que había contado el naturalista consiguieron atemorizarles, y a ese temor contribuyó sobremanera el hecho de que una vieja comadre de la familia de los *Gorrinos* insinuara que Gacel había heredado los poderes malignos de su abuelo, razón por la que tanto las águilas como el oso y las abejas no eran en realidad más que esclavos del mal que el mismísimo demonio había puesto a su servicio.

Como es de suponer, semejante afirmación consiguió que hubiera un motivo más de enfrentamiento vecinal en Monteoscuro, ya que ahora, sus habitantes se dividieron de nuevo entre quienes consideraban a Gacel un aprendiz de brujo y quienes opinaban que no era más que un chiquillo caprichoso con un coeficiente intelectual apenas ligeramente superior al de Ramoncín el *Gurriato*.

Al rebelde mocoso todo aquello parecía importarle un pimiento, visto que la media docena escasa de personas que en verdad le interesaban sabían muy bien a qué atenerse, y lo único que en aquellos días le preocupaba era estudiar a conciencia los libros de pájaros que abandonara en su huida el naturalista, y que le estaban enseñando un universo diferente, puesto que a través de ellos —y de los prismáticos— comenzaba a descubrir un millón de cosas maravillosas sobre la vida y las costumbres de las aves del bosque.

Una mañana que se distraía observando las idas y venidas de una pareja de petirrojos que corrían peligro de volverse locos en su esfuerzo por alimentar a sus insaciables crías, le llegó de improviso un bramido lejano, y cuando se aproximó guiado por lo que parecían lamentos, descubrió al viejo oso recostado contra el tronco de un enorme castaño, y aunque consiguió situarse a menos de tres metros sobre su cabeza, el animal no pareció advertir su presencia ni aun en el momento en que le miró con unos ojos que se dirían cubiertos por un velo traslúcido.

Gacel comprendió que se estaba muriendo.

Aquel bicho debía tener cientos de años, o al menos todos los que alcance a tener el oso más vetusto que jamás haya existido, ya que de puro comatoso hasta la piel aparecía raída y casi sin pelo, más cochambrosa aún que la andrajosa alfombra del salón de Benito, que según él perteneció a su bisabuela.

Estaba casi en los huesos, con un solo colmillo que cuando rugía le asomaba como un romo dedo amarillento, y hasta las garras parecían habérsele olvidado en algún árbol del camino.

En esta ocasión no le dio miedo, pues resultaba evidente que aquella pobre bestia agonizante era incapaz de hacerle daño a una mosca.

Lo que sí le dio fue mucha lástima, al tiempo que una indescriptible sensación de desilusión o de vacío, y es que para Gacel aquel terrible animal siempre había estado ligado a la figura de su abuelo y a los felices tiempos en que se sentaba a escuchar las historias que le solía contar sobre su tamaño y su fiereza. El hecho de descubrirlo convertido en apenas algo más que un felpudo remendado, le producía una profunda nostalgia y le rompía el corazón en mil pedazos.

Al rato tuvo no obstante la curiosa sensación de que lo que le obligaba a rugir y lamentarse no era el dolor ni el hecho de saber que iba a morir —cosa que tal vez en el fondo hacía tiempo que estaba deseando— sino una indescriptible sensación de soledad y angustia, pues pese a ser una bestia irracional y encontrarse agonizante, debía imaginar que se había convertido en el último individuo de su especie, ya que hacía muchísimo tiempo que ningún otro habitaba en el bosque.

Saber que vas a morir y que contigo acaba una estirpe, debe significar casi tanto como morir dos veces, y algo así era lo que debía ocurrirle a quien abandonaba este mundo en la más inconcebible soledad que pueda imaginarse.

Sus rugidos no se le antojaban al chiquillo simples rugidos, sino más bien llamadas, y cuando tomó plena conciencia de ello corrió hasta su «casa» y regresó con el magnetófono.

Resulta evidente que un oso moribundo no está en condiciones de reconocer su propia voz grabada en una cinta, y cuando al fin Gacel puso el aparato en marcha y el bosque se llenó de bramidos, la fiera dio un respingo y su desolada expresión se trucó por otra de sorpresa y alegría.

Rugió a su vez, y el suyo fue un rugido inolvidable puesto que aunque el muchacho no fuera desde luego un experto en el lenguaje de los osos, hasta un cocinero chino habría sabido reconocer un matiz diferente, como de profunda esperanza, en aquel ronco bramido.

«Cuánto has tardado», pareció que decía, y cuando le respondió de nuevo el magnetófono, recostó la enorme cabezota en el tronco del árbol y escuchó como quien escucha una inolvidable sinfonía.

La última hora de su vida la pasó hablando consigo mismo aunque imaginando que hablaba con otro —tal vez el hijo que le hubiera gustado tener y por lo que se ve nunca tuvo— y por primera vez en su vida el jovencísimo Gacel se sintió realmente orgulloso por el simple hecho de haber sido capaz de ayudar a morir en paz a un viejo oso apolillado.

Cuando al fin el animalote lanzó un hondo suspiro y dobló la cabeza permaneciendo con los ojos clavados en el punto en que el chiquillo se encontraba, éste apagó el magnetófono, se hizo de nuevo el silencio y fue como si con la desaparición del oso, el bosque quisiera romper con su más reciente pasado, puesto que la vida, una esplendorosa y lujuriante vida, estalló por doquier apoderándose de la espesura, desde la más profunda raíz a la más alta hoja de sus árboles.

También resulta difícil aceptarlo, pero es que no era tan sólo que la primavera hubiera llegado; era como si todas las primaveras olvidadas en el último medio siglo quisieran querer estallar al unísono convirtiendo la abandonada floresta que rodeaba Monteoscuro en el eje sobre el que habría de girar el universo.

Una semana después apareció la vieja. Llegó del Norte, nunca se supo de dónde exactamente, del mismo modo que tampoco se podría decir cuánto tiempo llevaba tendida en el recodo del sendero cuando Gacel la descubrió, delirante y temblorosa, pero lo que sí es cierto es que nunca hasta ese instante el desconcertado niño había visto a un ser humano tan cochambroso y en ruinas.

Le preguntó quién era y la pobre mujer ni siquiera tuvo alientos para replicar, pues cabría asegurar que incluso el cadáver del oso tenía un aspecto mucho más saludable que aquella infecta piltrafa que obligaba a recordar a una leprosa africana.

Iba envuelta en harapos, con el rostro y las manos cubiertos de llagas supurantes, la blanca cabeza casi calva excepto por media docena de lacios mechones que caían sobre un mugriento chal que antaño debió ser muy hermoso y despedía un hedor tal a perros muertos que tumbaba de espaldas.

Era como la bruja de *Blancanieves* después de haberle chamuscado un rayo y habérsele cagado encima los siete enanitos, pero aun así había algo extraño en ella —quizá solamente en sus ojos— que obligó a pensar a Gacel que en otro tiempo debió ser una mujer muy hermosa y tal vez muy importante.

Eran los ojos, sí; después de observarlos un rato resultaba indiscutible; unos ojos enormes que parecían no haber envejecido con el resto del cuerpo; unos ojos de niña asustada que tenían la extraña particularidad de cambiar de color continuamente, pues podían ser negros, grises, verdes, marrones e incluso de un azul tan traslúcido como el agua de un lago, y lo que más sorprendía en ellos era que cualquiera que fuera la tonalidad que adoptaran estaban siempre en perfecta armonía con el resto de las facciones.

El niño le alcanzó una jarra con agua y algo de fruta, y la destruida anciana pareció recuperarse lo suficiente como para inquirir, con voz apenas audible, si tanto miedo o tanto asco le daba como para mantenerse subido en una rama a más de metro y medio de distancia.

—No es por ti —respondió el pequeño con naturalidad—. Es que juré no volver a pisar la tierra.

—¿Y eso? —quiso saber la vieja.

Gacel le confesó sus razones y no pareció sorprenderse, como si su larga y amarga experiencia la obligara a aceptar que quien pisara la tierra acabaría por convertirse en un demonio.

—Has hecho bien —musitó al fin—. Y has elegido el lugar apropiado. ¿Me permites que me quede aquí algún tiempo?

—Es el bosque el que decide —señaló el niño convencido—. Si no te acepta te lanzará encima nubes de abejas.

Ella mostró sus manos ulceradas.

—Ninguna abeja se aproximaría a estas llagas hediondas —susurró—. Hace ya mucho tiempo que tan sólo las moscas soportan mi presencia. Y ahora déjame dormir —suplicó—. Me encuentro muy cansada.

Gacel la invitó a acomodarse en la cabaña de su abuelo, le mostró luego el camino y cuando la vio alejarse, encorvada y temblorosa, no pudo por menos que preguntarse por qué horrendas calamidades habría tenido que pasar aquella infeliz mujer para llegar a semejante estado.

Temió que no alcanzara su destino, y más tarde se avergonzó por no haber sido capaz de renunciar por una sola vez a su decisión de no pisar la tierra ofreciéndole su hombro para que se apoyara, pero al fin la vio llegar a la cabaña para alzar la mano en un débil saludo y desaparecer en su interior.

El chiquillo tomó la costumbre de dejarle cada mañana un cesto con las mejores frutas y una jarra de agua fresca en el porche, y cuando al fin volvió a verla una semana más tarde, incluso él —que tantas cosas fantásticas llevaba vistas en aquel tiempo— se asombró ante la mejoría que la pobre mujer parecía haber experimentado.

Era como si hubiera rejuvenecido veinte años, puesto que algunas de sus llagas habían cicatrizado, ya no apestaba, y una suave pelusa de un gris plomizo cubría apenas lo que anteriormente tan sólo fueran calvas.

Su voz era mucho más audible y a veces sonreía.

—¿Milagro? —replicó cuando el pequeño expresó su asombro—. ¡Quizás! O quizá lo único que necesitaba era que se ocuparan de mí. Últimamente nadie lo había hecho.

Gacel la observó con profundo detenimiento porque aún le costaba trabajo admitir lo que veían sus ojos, y más aún le costó en los días que vinieron, porque cada noche que pasaba en el bosque era como si a aquella inquietante mujer de ojos cambiantes le quitaran cinco años de encima, y como el niño le permitió que utilizara unos viejos vestidos de su abuela, que aún se guardaban en un arcón, a las dos semanas lo que tenía delante no era ya una momia andante, sino una elegante señora aún atractiva, cuyos ojos seguían siendo vivaces e inquietantes.

—No hables de mí —le rogó no obstante una mañana en tono suplicante—. No quiero que puedan averiguar que estoy aquí.

—¿Te persiguen? —quiso saber Gacel, y al no obtener respuesta, añadió—: ¿Por qué?

—Porque era muy rica —replicó ella con tristeza—. Y demasiado dadivosa. Confié en los hombres pero me lo quitaron todo dejándome como me encontraste y no quiero volver a pasar por lo mismo.

—Pero ya no eres rica —le hizo notar el chico.

—Pero soy mucho más sabia —fue la respuesta—. Y ten presente que la sabiduría es la más valiosa de las riquezas, porque siempre te pueden arrebatar cuanto seas capaz de aferrar entre las manos, pero nunca te robarán cuanto atesores en la cabeza.

Gacel aprendió mucho de aquella mujer: muchas cosas y muy interesantes, pues aunque le costara admitirlo, debió reconocer que era tan sabia o más que su abuelo, ya que le daba excelentes consejos y le contaba historias de gentes que habían quedado muy atrás en el tiempo, pero de las que hablaba como si las hubiese conocido y tratado personalmente.

Sin embargo lo más importante que el pequeño aprendió de ella ni siquiera tuvo necesidad de enseñárselo, porque era algo que se advertía al mirarla cada mañana. Lo más importante que aprendió Gacel fue el descubrir que por muy hundida que llegue a encontrarse una persona y por más que imagine que ha alcanzado el final de todos los caminos, si es dueña de una gran fuerza de voluntad, siempre conservará una esperanza y volverá a empezar con la misma ilusión que el primer día.

Llegó un momento que a Gacel se le antojó un sueño y había noches en las que no podía pegar ojo aguardando la primera luz del alba para tomar asiento sobre la rama del roble, justo sobre el porche, y aguardar a que hiciera su aparición más espléndida aún que la tarde anterior.

Al fin, como la oruga que se transforma definitivamente en mariposa, sonrió haciendo brillar unos ojos que aquella mañana eran de un color verde-mar muy profundo, y con voz de adolescente, pues no aparentaría en aquellos momentos más allá de veinte años, musitó con dulzura:

—He de marcharme.

—¿Por qué? —se horrorizó Gacel.

—No lo sé —replicó ella—. Pero tengo que irme.

—¿Adónde?

—A ningún lado... Y a todas partes.

—¿Cuándo volveré a verte?

—Siempre que lo desees —musitó ella haciendo un leve gesto hacia cuanto les rodeaba—. No tendrás más que mirar a tu alrededor y me verás en cada árbol, cada pájaro, cada flor y cada ardilla.

—No te comprendo —replicó el chiquillo, desconcertado.

—No necesitas comprenderme —señaló la mujer de los ojos cambiantes—. Tan sólo tienes que quererme y cuidarme como lo has hecho hasta ahora.

Se alejó muy despacio, con infinita pena, aunque

por muy infinita que pudiera parecer, no era ni tan siquiera una gota de agua en el océano de la tristeza de Gacel, y cuando ya a orillas del río se volvió para darle un último adiós, el niño gritó angustiado:

—¡Espera! —suplicó—. ¡Espera un momento, por favor! Aún no me has dicho quién eres.

—¿Quién soy...? —se asombró la misteriosa dueña de unos ojos que aparecían ahora intensamente azules—. Creí que lo habías adivinado. —Sonrió—. Yo soy aquélla a la que tú más amas y a quien tú más respetas... —Le lanzó un beso con la punta de los dedos—. Soy aquella a quien nunca quieres pisar.

Ramoncín el *Gurriato* era un pacífico gigantón bastante limitado, ya que nunca había sido capaz de aprender más de tres palabras al año, lo que venía a significar que su vocabulario se reducía a poco más de un centenar de expresiones, de las cuales casi la mitad resultaban casi siempre ininteligibles o malsonantes.

Este último extremo no era en verdad culpa suya, sino más bien de los parroquianos de la taberna de su tío, que se divertían repitiéndole con grosera machaconería todas las palabrotas del diccionario hasta que al pobre *Gurriato* se le grababan —es de suponer que con letra diminuta— en su minúsculo cerebro.

Pero todo lo que tenía de grandote y simplón, Ramoncín lo tenía de pacífico, cariñoso y servicial, lo cual traía aparejado que la mayoría de sus convecinos abusaran de su amabilidad pidiéndole toda clase de favores sin pensar nunca en pagarle ni en compensarle de cualquier otra forma.

Y quien sin duda más abusaba de él, era su tío Facundo, el único pariente vivo que se le conocía y que le obligaba a trabajar de sol a sol como una mula a cambio de un jergón bajo el mostrador de la taberna y dos comidas diarias.

Pero el *Gurriato* jamás se lamentaba.

Se diría que tenía asumida su condición de tonto del pueblo y objeto de las burlas, conformándose con su amargo destino, feliz de que no le enviaran a un asilo, o dándose por satisfecho con el simple hecho de que le permitieran ver la televisión un par de horas por noche.

Daba igual que emitieran una película, un partido de fútbol o un debate político; Ramoncín se quedaba mirando la pantalla como hipnotizado, hasta que de improviso doblaba la cabeza como si le hubieran roto el cuello, se golpeaba con la frente en el mostrador sin que ni siquiera el tremendo topetazo consiguiera espabilarle y se quedaba frito hasta que una hora más tarde su tío cerraba el bar, apagaba las luces y le empujaba al camastro.

El único problema del *Gurriato* estribaba en que con frecuencia y durante esa hora que se quedaba dormido sobre el mostrador se le escapaban unos hediondos y sonoros pedos que hacían retumbar el local y acababan por obligar a huir en desbandada a los sufridos parroquianos.

Hay quien asegura, sin embargo, que tan sólo se los tiraba cuando don Facundo le golpeaba disimuladamente la pierna porque tenía intención de cerrar para irse a dormir antes de tiempo.

Con semejantes antecedentes, no debiera sorprender que el desprevenido Gacel, que le conocía muy bien, fuera a su vez el primer sorprendido el día que le vio aparecer al otro lado del río, ya que cuando le preguntó qué demonios quería, el mozarrón respondió con su balbuceo de siempre:

—Quedarme.

—¿Quedarte? —replicó el chiquillo estupefacto—. ¿Y qué diantres vas a hacer aquí, si no hay televisión?

—Tampoco hay gente —musitó el otro demostrando con ello que podía no saber demasiadas palabras, pero que las que sabía las aprovechaba al máximo.

Gacel le proporcionó un cesto con frutas que el tonto mordisqueó muy despacio, sentado en una rama baja, balanceando los pies en el aire y estudiándolo todo más embobado aún que de costumbre, pero con un aire tal de satisfacción que cabía imaginar que había entrado en trance y se encontraba flotando en mitad del espacio.

Cuando terminó de comer sonrió apenas dando las gracias para quedar luego completamente inmóvil observando a un diminuto «herrerillo capuchino» que cantaba sobre una rama, pero a los cinco minutos comenzó a silbar imitando sus trinos y gorjeos con tal exactitud que resultaba imposible descubrir cuándo lo hacía el tonto y cuándo el pájaro.

Iniciaron poco después una auténtica «conversación», y tal parecía así que al fin se unieron a ellos media docena más de «contertulios» y Gacel hubiera jurado sobre la mismísima cabeza del *Gurriato* —lo cual no era a decir verdad jurar demasiado— que llegó un momento en que daba la sensación de que al gigantón únicamente le faltaban las plumas para pasar a convertirse en un «herrerillo» más de la espesura.

Pero lo más prodigioso llegó en los días que siguieron, pues Ramoncín no sólo demostró sin asomo de dudas que era capaz de imitar el canto de cualquier ave o el grito de cualquier animal del bosque con mayor perfección que el sofisticado magnetófono del naturalista, sino que además de imitar sus «voces», mantenía largas conversaciones con infinidad de bichos, y todas las dificultades que había encontrado para comunicarse con los seres humanos se le transformaban en facilidades a la hora de entenderse con las bestias.

Las razones parecen estar más allá de toda lógica, a no ser que se admita que Ramoncín tenía el cerebro de un gorrión, pero está claro que alguien que —como él— nunca había salido del pueblo, pareció descubrir de improviso que lo que realmente le gustaba era aquel bosque.

Fue entonces cuando Gacel cayó en la cuenta de que pese a los años que hacía que le conocía jamás le había visto más allá de los límites del campo de fútbol, sin que traspasara tampoco las vallas del huerto del Cipriano, que era el primero a la derecha según se salía del pueblo en dirección al río.

Quizás al *Gurriato* le daba miedo el bosque o le agobiaban tanto que no le quedaba tiempo para disfrutar de lo mejor que existía en Monteoscuro, pero lo cierto es que ahora parecía haber descubierto un nuevo mundo, y se sentía más a sus anchas en él que la más vivaz de las ardillas.

Ni tan siquiera se planteó la posibilidad de subirse a un árbol, sin darle mayor importancia a la facilidad con que el niño se movía por las alturas, pues lo suyo era sentarse en una rama baja y pasarse las horas de «cháchara» con sus emplumados «amigos» hasta que al oscurecer, cuando los pájaros se retiraban a sus nidos, inclinaba de pronto la cabeza, cerraba los ojos y no volvía a abrirlos hasta que la primera alondra le despertaba con sus trinos.

Seguía, eso sí, tirándose unos pedos horrorosos que provocaban las airadas protestas de los búhos.

Cuando a los tres días Catalina se lo encontró de frente al doblar un recodo del camino, a punto estuvo de darle un síncope, pues en el pueblo todos estaban convencidos de que se había ahogado en el río para ser arrastrado por la corriente.

Cómo diablos se podría haber ahogado alguien que hasta ese momento apenas había metido los pies en el agua, es algo que nadie quiso plantearse, pero aquel tipo de rumores eran los que solían correrse como la pólvora por Monteoscuro, ya que no existía un lugar en el que los rumores pasasen a convertirse con más facilidad en indiscutible certeza que aquel dichoso pueblo.

Como resulta lógico suponer, la primera intención de Catalina fue llevarse de vuelta a casa al *Gurriato*, pero éste se limitó a mover calmosamente la cabeza y replicar seguro de sí mismo:

—¡Nunca!

Y ya está dicho que Ramoncín sabía pocas palabras, pero las que sabía se las sabía a conciencia, por lo que cuando decía «nunca» es que era «nunca», y no había quien le hiciera cambiar de opinión ni arrancándole una muela.

Se cerró en banda y fue como hablar con un muro, porque aunque le gritaran en la oreja no escuchaba, mientras que parecía tener la extraña propiedad de estar captando en ese mismo instante el trino de un mirlo a cincuenta metros de distancia.

—¡Déjalo...! —rogó al fin Gacel a su madre—. Dile a don Facundo que está conmigo y que está bien. ¿Cuál es el problema?

Poco podía imaginar el pobre muchacho que aquél sería el principio de la mayoría de sus problemas.

Y en este caso no resulta difícil de entender, visto que Ramoncín era el tonto del pueblo; un retrasado mental que en buena lógica debía significar una pesada carga para cuantos le rodeaban, ya que aquellos con los que la Naturaleza había sido más generosa tenían la obligación de protegerle.

Eso era, al menos, lo que solía ocurrir entre los animales de una misma especie, donde los más fuertes protegen a los más débiles, pero como entre los seres humanos no sucede así, y el fuerte no sólo no protege al débil sino que lo explota, una gran parte de los habitantes de Monteoscuro cayeron de improviso en la cuenta de que la desaparición de «aquel pedorro hediondo bueno para nada» les causaba un grave trastorno.

El más afectado fue sin duda su tío Facundo, ya que se quedó de la noche a la mañana sin nadie que barriera, fregara, sirviera las mesas o cargara las cajas de cerveza sin exigir vacaciones, seguridad social, o aumento salarial sobre un jornal que nunca tuvo, pero a continuación vinieron todos aquellos —*Gorrinos* o *Berzotas*, ricos o pobres, de izquierdas o de derechas y ateos o «meapilas»— que estaban acostumbrados desde siempre a que el infeliz *Gurriato* trajera el pan, ordeñara las cabras, alimentara los cerdos, cortara la leña o limpiara las cuadras sin cobrar un céntimo.

Y privarles de semejante esclavo constituía una ofensa, un insulto intolerable y una terrible molestia.

El hecho de que un «niñato malcriado» como Gacel hubiese cometido la osadía de influir sobre el infeliz Ramoncín, incitándole a escaparse de casa y abandonar sus «obligaciones», era algo que los habitantes de Monteoscuro, en especial aquellos a los que les producía algún perjuicio, no estaban dispuestos a consentir de ningún modo.

Nadie se detuvo a meditar en el hecho de que el niño nada había tenido que ver con la decisión que Ramoncín había tomado, pero es que, según los afectados, si a Gacel no se le hubiese ocurrido la estupidez de subirse a los árboles, el esforzado *Gurriato* continuaría trabajando en beneficio de la comunidad.

Las cosas se pusieron harto difíciles desde el primer momento, pues a la mañana siguiente, cuando Gacel se estaba bañando en el río mientras Ramoncín «parloteaba» con una pareja de zorzales, don Facundo hizo su aparición en la otra orilla y le ordenó, con toda la autoridad de que solía hacer gala, que regresara inmediatamente «a casa».

El *Gurriato* hizo un leve gesto a los zorzales como pidiendo que no se alejaran, observó a su tío en silencio y, tras un corto paréntesis, le propinó tan sonoro y espectacular «corte de mangas» que el estupefacto don Facundo se quedó tan boquiabierto como solía estarlo a todas horas su sobrino, y fue tal su expresión de asombro, que Gacel a punto estuvo de irse al fondo del río presa de un ataque de risa.

El niño tuvo la impresión de que si se le hubiesen desencajado de pronto todos los dientes, el desconcertado don Facundo no se hubiese quedado ni un ápice más atónito, y tal fue así, que ni siquiera se encontró con fuerzas como para insistir en su demanda, por lo que, dando media vuelta, se alejó por donde había venido como si le hubiese caído el mundo encima.

Y es que como el viejo Arcadio solía decir, la maquinaria de la convivencia está fabricada con tan pequeñas y delicadas piezas, que se hace necesario prestar atención a todas ellas o se corre el riesgo de que comience a chirriar y concluya por detenerse.

La maquinaria de don Facundo acababa de fallar por donde jamás hubiera imaginado que fallara, pero aunque en un principio pareció aceptar en su fuero interno que su sobrino tenía razón al mandarle al infierno, la mayoría de sus descontentos parroquianos comenzaron muy pronto a protestar exigiendo el inmediato regreso del *Gurriato*.

Como a tales protestas se unieron las voces de quienes se sentían igualmente afectados en sus intereses o en su comodidad, don Facundo concluyó por pedirle ayuda al alcalde, ya que como «tutor legal de un minusválido», creía tener derecho a exigir que las autoridades obligaran a su «protegido» a regresar.

Don Genaro, que no había encontrado quien limpiara las cochiqueras ni le cuidara el caballo con la misma eficacia y economía que el fugitivo, no dudó a la hora de hacer suyas las argumentaciones del demandante, por lo que ordenó a los municipales que se encaminaran al bosque y no regresaran sin traer de la oreja al díscolo *Gurriato*.

Y, en efecto, no regresaron sin él... Pero con él tampoco.

Ramoncín y Gacel los vieron llegar y se escondieron, observando como pasaban de largo para internarse en la espesura rumbo al Norte, y fue como si se los hubiera tragado la tierra.

Se armó tal revuelo que al día siguiente Catalina llegó a la cabaña terriblemente asustada, y al poco lo hicieron Benito y María Manuela, tan excitados que podría creerse que en el antaño aburrido Monteoscuro acababa de estallar una auténtica revolución.

¡Se habían perdido dos guardias! ¡Los únicos que había!

El alcalde aún esperó todo un día, pero cuando resultó evidente que los desaparecidos jamás encontrarían el camino de regreso por sí solos, dio la voz de alarma y de la capital enviaron toda una patrulla de rescate.

Eran seis hombres duros; seis expertos capaces de rescatar a un montañero perdido entre las nieves o a un espeleólogo atrapado en una profunda sima; gente «bragada».

Pero tampoco volvieron.

Disponían incluso de una radio con la que mantenerse en continuo contacto con el puesto de mando que habían instalado en la Alcaldía, pero sobre las cinco de la tarde dejaron de emitir y no volvieron a dar señales de vida.

Aquello era lo más sensacional que había ocurrido en Monteoscuro desde los lejanos tiempos en que un cerdo devoró un campo de berzas y en la refriega murieron cuatro personas.

Dos días más tarde un helicóptero sobrevoló el bosque por más de tres horas, y Catalina —pálida y desencajada— acudió a pedirle explicaciones a Gacel, convencida de que tanto el *Gurriato* como él tenían algo que ver con todo aquel misterio.

El problema se estaba desbordando ya que se hablaba de feroces osos asesinos; manadas de hambrientos lobos; traficantes de drogas que ocultaban en la espesura sus laboratorios clandestinos e incluso de bandas de terroristas dispuestos a iniciar una sangrienta guerra civil, aunque lo cierto es que nadie tenía ni la más ligera idea de qué era lo que había sucedido con toda aquella gente.

¡Por fin llegó el ejército!

En efecto; era realmente el ejército, o al menos una veintena de sus mejor entrenados «comandos», armados hasta los dientes y dispuestos a aniquilar a cualquier enemigo, fuera el que fuera, y llegaron por el aire, dejándose caer en mitad del bosque desde tres enormes helicópteros que se mantenían a una veintena de metros sobre las copas de los árboles.

¡Qué espectáculo!

Gacel los observaba con ayuda de los prismáticos del naturalista, mientras Ramoncín —que había consentido en ascender a duras penas hasta el camuflado refugio de la copa del roble— permanecía con la boca más abierta que nunca, aunque en cierto modo orgulloso al comprender que se había convertido en el desencadenante de tan soberbio despliegue de fuerzas, y por primera vez alguien le prestaba la atención que jamás le habían prestado.

Los soldados se deslizaron ágilmente por sus largas cuerdas con las metralletas al hombro, para desaparecer uno tras otro en la verde alfombra de hojas y ramas, y fue como si se hubieran sumergido para siempre en el más profundo de los océanos, porque pese a que durante un par de horas se mantuvieron en contacto con los helicópteros, indicando que todo estaba tranquilo y no se detectaba peligro alguno, al cabo de ese tiempo la radio enmudeció y tampoco volvieron a dar señales de vida.

Ni uno solo de los habitantes de Monteoscuro se sintió en condiciones de aclarar qué extraño misterio ocultaba aquel bosque para que tanta gente tan bien preparada desapareciese en él sin dejar rastro.

Ni siquiera el propio Gacel, que se consideraba —y con razón— el mejor conocedor de aquella espesa floresta y sus innumerables pobladores, fue capaz de dar una respuesta lógica a cuanto estaba sucediendo, hasta el punto de que durante los días —y sobre todo las noches— que siguieron, pasó por momentos de auténtico terror, puesto que los gigantescos helicópteros no cesaban de volar sobre su cabeza, y cuando en las tinieblas de la noche barrían con sus potentes focos las copas de los árboles, semejaban monstruosos ojos de cíclopes airados escudriñando hasta el último rincón del universo.

Pero por más que lo intentaban aquellas luces no conseguían atravesar la densa capa de ramas y hojas, y las llamadas de sus altavoces se perdían en la nada como si rebotaran contra la impenetrable y mullida alfombra de la espesura.

Para los militares resultaba harto humillante el haber perdido de forma tan absurda a tantos compañeros, sabiéndose impotentes para encontrarlos pese a contar con los más sofisticados instrumentos, pero más angustioso resultaba para Gacel saberse a mitad de camino entre el cielo y la tierra, y preguntarse qué clase de fieras o demonios habían conseguido apoderarse de aquellos veintiocho hombres, y en qué momento decidirían subir hasta las copas de los árboles a devorarle las entrañas a un niño asustado y a un gigantón de escasas luces.

Le costó un tremendo esfuerzo no lanzarse de cabeza al río regresando a toda prisa a su casa para encerrarse con llave en el cuarto de baño, y si no lo hizo fue gracias al *Gurriato*, que parecía ser el único que conservaba la calma, convencido de que todo aquel absurdo embrollo acabaría arreglándose.

—¿Cómo lo sabes? —preguntó el niño.

—Lo sé —fue, como siempre, su escueta respuesta.

—¿Quién te lo ha dicho?

El gigantón se limitó a señalar al gran búho que se posaba en su hombro y con el que solía «conversar» durante horas.

—Él.

—¡Vaya! —se vio obligado a replicar—. Había oído decir que «un pajarito» suele contarle cosas a la gente, pero por lo visto a ti te las cuenta un búho.

—Sabe más.

El niño reconoció que constituía una locura dar por buena la opinión que un búho le había transmitido a un microcéfalo, pero como tenía conciencia de que aquélla era una situación francamente insólita, y nadie le ofrecía una explicación más lógica, concluyó por aceptarla.

Aun así le temblaron las piernas cuando tras una interminable noche en que los helicópteros no cesaron de amenazar con sus dedos de luz, la maestra vino a suplicarle que tratara de averiguar qué era lo que le había ocurrido a los desaparecidos.

—¿Yo? —se horrorizó—. ¿Y por qué yo?

—Porque fuiste tú quien empezó todo esto —fue la respuesta—. Y porque como esa pobre gente no regrese sana y salva, el alcalde aprovechará la ocasión para traer una veintena de «bulldozers» y arrasar el bosque. Todo el mundo sabe que don Genaro anda buscando una disculpa como ésta.

Gacel también lo creía muy capaz de talar medio millón de árboles para convertirlos en tablones sin que se le desgarraran las entrañas, y fue únicamente por tal motivo por lo que a la mañana siguiente llenó de agua su cantimplora y se dirigió al Norte por los intrincados senderos de las ramas.

Ramoncín se limitó a hacer un leve gesto de despedida con la mano y suplicar balbuceante:

—¡Vuelve!

El niño hubiera dado incluso los prismáticos por replicar que estaba convencido de regresar, pero no se encontró con ánimos para hacerlo porque por primera vez en su vida el bosque le asustaba, y tenía la sensación de que se había convertido en su enemigo.

Aparentemente seguía siendo el mismo, y sus ramas continuaban constituyendo un lugar seguro para él mientras las hojas aún se alzaban evitando que cayera, pero a medida que avanzaba hacia los barrancos que fueran antaño guarida de lobos y de osos, una invencible sensación de angustia se le iba clavando en la boca del estómago, y un insoportable amargor le impedía tragar saliva.

Los helicópteros semejaban inmensos abejorros zumbando entre las nubes, y al cabo de dos horas de marcha advirtió que aquel zumbido era cuanto se percibía, puesto que si se alejaba, un silencio que hacía daño a los oídos se apoderaba del mundo como si de pronto éste se hubiera quedado vacío.

Y al mediodía, cuando por largo rato los helicópteros abandonaron el cielo, el silencio fue tan profundo, sin que se percibiera ni el canto de las cigarras pese a que el sol calentaba con violencia, que el miedo le subió al fin hasta los ojos, por lo que le entraron unas incontenibles ganas de llorar como si se tratara de un vaso que comenzara a rebosar mientras las piernas le flaqueaban de tal forma que tuvo que tomar asiento en una rama y abrazarse a un grueso tronco para no caer como una piedra desde más de veinte metros de altura.

Todo estaba como muerto a su alrededor; todo en silencio, y ni el rumor de las hojas al moverse le alcanzaba, pues hasta el viento parecía haber desertado de aquella parte del bosque.

Media hora más tarde se puso de nuevo en marcha para cruzar sobre el primer barranco, pero cuando intentó descender a las ramas más bajas, ya que la espesura era tan densa que apenas conseguía distinguir el suelo, advirtió de improviso que a partir de un cierto nivel comenzaba a marearse y todo giraba a su alrededor como si estuviera montado en una noria.

Le faltaba el aire, ascendió unos metros, y eso le ayudó a reaccionar, pero en cuanto intentó descender nuevamente comprendió que otra vez se atontaba al tiempo que un olor muy dulzón y muy denso anulaba cualquier otro olor de la espesura.

Tardó en darse cuenta de que provenía de una diminuta florecilla azul que parecía haberse adueñado por completo de la floresta, y aunque jamás la había visto anteriormente, estaba claro que se había extendido como una plaga incontenible, ya que no sólo alfombraba el suelo, sino que incluso trepaba por los troncos de los árboles hasta unos seis metros de altura.

Llegó a la conclusión de que era su aroma el que le mareaba y procuró por tanto seguir avanzando lo más alto posible, ya que, curiosamente, no era un olor que buscara las copas de los árboles para perderse en el cielo, sino que de puro denso parecía caer muy lentamente y concentrarse a ras del suelo, donde debía volverse de todo punto irrespirable.

Al fin consiguió distinguirles. Primero fue un soldado, luego otro; más tarde uno de los miembros del equipo de rescate, y por último el gordo Heraclio que tantas veces le riñera por jugar al fútbol en la calle, y el renco Rafael, que era primo segundo de su padre.

Dormían, y aunque en un principio se asustó al imaginar que estaban muertos, en cuanto prestó atención advirtió que algunos cambiaban de posición de tanto en tanto, sumidos en un sueño tan profundo y apacible que por sus sonrisas y murmullos cabía imaginar que se encontraban disfrutando del más hermoso rincón del paraíso.

Se trataba de una nueva versión del cuento de *La Bella Durmiente*, excepto por el hecho de que en lugar de hermosas doncellas, eran rudos soldados los que roncaban sonoramente.

Durante un largo rato Gacel no supo cómo reaccionar, pero en el momento en que se disponía a regresar sobre sus pasos, le llegó el zumbido de un motor, advirtió que uno de los helicópteros rondaba nuevamente por las proximidades y quitándose la camisa hizo frenéticas señas hasta que el piloto se colocó exactamente sobre su cabeza preguntando a través de un enorme altavoz qué era lo que quería.

Pero por más que el chiquillo gritó indicando exactamente bajo sus pies, los tripulantes del aparato no parecían entenderle, hasta que al fin un oficial se deslizó ágilmente a lo largo de un grueso cable para quedar colgando en el aire girando mansamente a menos de cinco metros de distancia.

—¿Qué quieres? —quiso saber.

—Están todos aquí —replicó el chiquillo.

—¿Muertos? —se alarmó el militar.

Negó con un gesto.

—Dormidos.

—¿Dormidos? —se asombró el otro sin querer dar crédito a lo que oía—. ¿Todos dormidos?

—Todos —reconfirmó Gacel—. Pero le aconsejo que no intente bajar porque se dormirá también. Hay un olor muy fuerte.

—¡Dios bendito! —exclamó el hombre colgado al extremo del cable de acero—. ¿Seguro que están vivos?

—El niño asintió y el otro añadió señalando hacia lo alto—: ¿Quieres que te suba?

—No, gracias —rechazó Gacel—. Me vuelvo a «casa».

El oficial le observó largamente y por último inquirió:

—Me han hablado de ti —dijo—. ¿Por qué lo haces? ¿Por qué vives en los árboles?

—Si no lo entiende, no vale la pena que se lo explique —fue la respuesta.

No se había alejado más de un kilómetro cuando vio llegar al resto de los helicópteros, y pudo advertir cómo descendían nuevos soldados ahora protegidos con máscaras antigás, que no tardaron en rescatar, sanos y salvos aunque bastante idiotizados, a los veintiocho desaparecidos.

También se llevaron varias matas de aquella desconocida flor azul, pero pese a que los más afamados científicos pasaron varios meses estudiándolas, todos los intentos que se hicieron para desvelar su secreto resultaron inútiles.

Ramoncín se limitó a sonreír con aquella extraña sonrisa suya —mucho más expresiva que un largo discurso y diez abrazos— y aunque no pronunció una sola palabra de agradecimiento o bienvenida, cuando al día siguiente Gacel abrió los ojos fue para toparse con un enorme búho tallado en madera, tan original y perfecto, que incluso el niño, que lógicamente de arte no entendía una palabra, no pudo por menos que admirarlo estupefacto.

Y es que lo que en verdad asombraba, no es que se tratara de una reproducción minuciosamente exacta del viejo búho que solía acompañar al *Gurriato* a todas partes, sino el hecho de que al observarlo con atención asaltaba la extraña sensación de que estaba «pensando», y en cualquier momento podía comenzar a hablar sin el más mínimo esfuerzo.

—¿Cómo lo haces? —quiso saber el niño.

Ramoncín le mostró una afilada navaja.

—Con esto —replicó con su sempiterna economía de palabras.

—¿Sólo con eso? —se asombró el chiquillo.

El gigantón sonrió una vez más como si le sorprendiera su ignorancia.

—Y paciencia.

Resultó un esfuerzo inútil tratar de obtener una explicación más amplia y razonable sobre los orígenes y las motivaciones de su «arte», por lo que Gacel decidió renunciar a ello desde el momento mismo en que su peculiar amigo le mostró la docena de figuritas semejantes que había realizado, y que eran a cuál más expresiva y portentosa.

Gacel ya se había dado cuenta tiempo atrás de que Ramoncín solía pasar largas horas en el desvencijado cobertizo posterior de la cabaña, aunque siempre había supuesto que durante ese tiempo se dedicaba a dormir o mantener absurdas charlas con sus «amigos» del bosque, pero a partir de aquel instante descubrió que lo que en realidad había hecho el *Gurriato*, era convertir el amplio chamizo en una especie de taller de arte en el que se afanaba tallando reproducciones de unos bichos que se prestaban de buena gana a servirle de pacientes modelos.

Con el tiempo el niño tomó la costumbre de descolgarse con mucho sigilo sobre el techo de la cabaña para asomar la cabeza y ver trabajar al *Gurriato,* ya que constituía un espectáculo en verdad fascinante contemplar a aquel hombretón que ya no mantenía la boca siempre abierta, sino que se mordía los labios meditabundo mientras rebajaba milímetro a milímetro una gruesa raíz o un viejo tronco, al tiempo que a su alrededor pululaban toda clase de habitantes de la espesura, desde pájaros y lirones, a ardillas, conejos e incluso algún que otro cervatillo, en una escena que más parecía sacada de una película de dibujos animados que de la realidad de un bosque que cada día estaba resultando más fantástico y desconcertante.

Al tiempo que progresaba en su comunicación con los animales y su afición a la escultura, el *Gurriato* comenzó a progresar de igual forma en su relación con las personas, aprendiendo nuevas palabras y expresiones, como si el hecho de sentirse en perfecta armonía con cuanto le rodeaba le permitiera concentrarse en sí mismo y bucear en lo más profundo de sus sentimientos.

Se le podría considerar la criatura más en paz consigo mismo que haya existido nunca, puesto que tras casi treinta años de vivir en las tinieblas de su terrible ignorancia, parecía haber descubierto una brillante luz que le permitía escapar de su oscuro destino, y sin asegurar que llevara camino de convertirse en alguien «normal», lo cierto es que daba la impresión de que estuviera evolucionando de tener cinco o seis años de edad mental, a tener doce o catorce.

El bosque, los animales, Ramoncín y Gacel formaban una familia tan unida como no habían conocido ninguna otra —exceptuando quizá la de María Manuela— y como el mismo bosque les proporcionaba cuanto necesitaban, aquella forma de existencia se les antojaba tan perfecta que les aterrorizaba la idea de que algún día pudiera desmoronarse.

Pero sabido es que tras el verano llega siempre el otoño, y tanto Gacel como el *Gurriato* tenían plena conciencia de que con las primeras lluvias y las primeras nieves la vida en las copas de los árboles se volvería de todo punto inviable.

Y al igual que ellos, lo sabían don Facundo, el alcalde y hasta el último habitante de Monteoscuro, que parecían aguardar impacientes, burlones y vengativos, a que hicieran su reaparición suplicando que se les permitiera refugiarse en un rincón caliente al que no pudiesen llegar los hambrientos lobos que en noviembre descendían de las montañas.

Resulta difícil describir con cuánto temor estudiaban Ramoncín y Gacel las variaciones en el color de las hojas; con cuánta angustia observaban al cielo, y con cuánto miedo advertían cómo el sol se ocultaba cada vez más temprano.

Tan sólo dos condenados a muerte hubieran contado de igual forma el paso de los días a la espera del momento en que habrían de ejecutarles, y a medida que avanzaba setiembre y los árboles comenzaban a pintarse de ocres y de rojos su angustia aumentaba, aunque pese a la intensidad de esos temores se veían obligados a reconocer que cada día el bosque se engalanaba de un modo más lujoso, como si aquél fuera el canto del cisne de su más prodigiosa primavera y su más prolífico verano; una primavera y un verano en los que incluso las águilas reales volvieron a reconstruir sus viejos nidos.

Una mañana Gacel descubrió que Ramoncín lloraba.

—¿Qué te ocurre? —se inquietó.

El otro se limitó a señalar a sus alados «amigos».

—Tienen que irse o morirán —replicó.

Lloró con él.

¿Qué otra cosa podía hacer más que llorar, si se aproximaban el otoño y el invierno y no estaba en sus manos detenerles?

Lloraron juntos, y debió ser tan amargo aquel llanto, tan triste y tan sincero, que el bosque entero se enterneció hasta sus raíces, y a partir de aquel día el tiempo se detuvo entre sus ramas, y ya no avanzó el invierno, o más bien su avance se detuvo arriba en las montañas; en los desolados páramos del Norte, y en los tejados de la capital, en los que se amontonó la nieve sin que un solo copo alcanzara a volar sobre sus cabezas.

Nadie entendió jamás lo que ocurrió aquel año en Monteoscuro, pues ni los más viejos del pueblo ni los más sabios de la ciudad encontraron explicación al hecho de que a mitad de octubre el país entero comenzara a tiritar, soplara el cierzo y cayeran las primeras nieves, pero aun así en aquel bosque nada cambiara y el sol no cesara de calentar ni un solo día.

¿Es posible que las lágrimas de un niño y un «retrasado» pudieran obrar semejante milagro?

Hay quien opina que sí, pero otros más bien se inclinan a pensar que fue el amor que le habían demostrado el que obligó a los árboles a cambiar sus costumbres de milenios, pues si sabido es que el amor transforma a los humanos, con mucha más razón actuará sobre un bosque que debe tener un corazón mucho más grande.

Es de esperar que nadie se empeñe en buscar razonamientos científicos de imprecisa respuesta a un relato en verdad sorprendente, limitándose a aceptar que es muy probable que jamás vuelva a repetirse.

Aunque, ¿por qué razón no puede repetirse? Tal vez algún día no demasiado lejano otro niño y otro «tonto» amen lo suficiente a un bosque como para impedir que le llegue el invierno, al igual que algunos hombres al amar profundamente a una mujer impiden que envejezca.

Aquella vez fue así, y aunque parezca absurdo, las

águilas no abandonaron sus nidos, los lirones no se durmieron, las flores no se cerraron y, por primera vez que se recuerde, el acebo no necesitó convertirse en el postrer refugio del zorzal.

Helados vientos rugientes descendieron desde las más altas cumbres donde las nieves alcanzaron tres metros de espesor, pero al aproximarse a las lindes del bosque parecían perder de improviso su fuerza, enmudeciendo como avergonzados por su estúpida osadía, para concluir por transformarse en tibias brisas con olor a jazmines que cobraban nuevos bríos al sobrevolar el río por el Sur, y al poco volvían a rugir furiosamente para acabar perdiéndose, entre aullidos, rumbo a la gran ciudad que tiritaba.

Ejércitos de espesas nubes surcaron el cielo impidiendo que el sol calentara la tierra, pero al divisar en la distancia el bosque de Monteoscuro sus filas se abrían como disciplinados granaderos dejando el espacio justo para que ese mismo sol brillara a todas horas, aunque poco más tarde se agrupaban de nuevo para dejar caer su carga de «agua-nieve» llano adelante.

Aún hay quien lo recuerda.

Aún hay quien no ha podido olvidarlo en modo alguno.

Fue un hecho que atrajo la atención del mundo sobre un diminuto punto del mapa en el que la Naturaleza parecía haberse empeñado en cambiar sin razón todos sus hábitos, por lo que muy pronto Monteoscuro se vio invadido por legiones de sesudos científicos que pretendían averiguar los motivos por los que tan extraños fenómenos tenían lugar sin su consentimiento.

Dicha invasión provocó, cómo no, una nueva confrontación entre las gentes del pueblo, pues si bien fueron muchos los beneficiados con los ingresos que los forasteros proporcionaban a aquel olvidado villorrio, fueron más los que padecieron con la brutal subida de los precios que ello arrastró consigo.

Pero tal vez tales problemas no hubieran tenido una especial trascendencia de no haber sido por don Alfonso de Moratalla y Barbuzano, quien hizo su aparición en Monteoscuro a bordo de un lujosísimo coche blanco, acompañado de un ejército de arquitectos y repartiendo dinero a manos llenas, ya que había llegado a la lógica conclusión de que un precioso bosque que conservaba una temperatura primaveral cuando el resto del país se congelaba, constituía el lugar idóneo para levantar una urbanización de lujo, un hotel de cinco estrellas y un campo de golf en el que los millonarios pudieran practicar su deporte favorito en pleno diciembre.

Cuántos árboles quedarían en pie cuando todo hubiese acabado no se lo dijo a nadie, ni tampoco nadie se molestó en preguntárselo, puesto que lo único que interesaba en aquellos momentos era saber quiénes serían los principales beneficiarios de tan golosa aventura.

Gentes que llevaban decenios sin ponerse de acuerdo sobre los frutos, la resina o la madera de unos árboles, pretendían, no obstante, ponerse de acuerdo de la noche a la mañana sobre quién tenía derechos sobre la propia tierra en que se afincaban dichos árboles, puesto que la codicia se había apoderado de Monteoscuro una noche ventosa y parecía decidida a quedarse para siempre, contando con la impagable colaboración de don Alfonso de Moratalla y Barbuzano, un hombre del que se diría que había nacido con la rara «virtud» de exacerbar la codicia ajena.

Nadie escapó a su influencia; nadie evitó que en su mente germinase la idea de que merecía una buena parte de aquel dinero, y fue así como los lugareños comenzaron a soñar con lujos que hasta aquel día se les antojaron impensables.

Una mañana la maestra acudió trayendo un mensaje del alcalde por el que suplicaba que tanto el *Gurriato* como Gacel permanecieran de momento donde estaban, pues don Genaro parecía convencido de que era su presencia la que conseguía que el bosque se comportara como lo estaba haciendo.

Prometía proporcionarles cuanto quisieran, atendiendo sus más mínimos caprichos e impidiendo que nadie viniese a molestarles con tal de que no se movieran de allí hasta el día en que don Alfonso de Moratalla y Barbuzano hubiera pagado hasta el último céntimo.

Por lo que se ve, Ramoncín y Gacel, un «retardado» y un mocoso habían pasado a convertirse en el talismán que conseguía que la nieve y el cierzo se mantuvieran a distancia, con lo que muy pronto comenzarían a ofrecerse parcelas y chalets en un auténtico paraíso tropical a menos de veinte kilómetros del hielo y de la escarcha.

Durante todo aquel día y gran parte de la noche, el niño se sintió extrañamente inquieto, tanto, que su primera intención fue la de alejarse de allí definitivamente, pues no hacía falta ser demasiado inteligente para llegar a la sencilla conclusión de que en caso de quedarse en el bosque, don Alfonso de Moratalla y

Barbuzano acabaría arrasándolo, lo que significaría que quien más lo amaba se convertiría en el causante indirecto de su total destrucción.

Cambió sin embargo de idea a la mañana siguiente, cuando con las primeras luces hicieron su aparición las inquietantes mariposas amarillas.

Nadie las había visto jamás anteriormente, ni en el bosque ni en ningún otro lugar, y ni siquiera se tenía noticia alguna de su existencia, dado que semejaban enormes flores de pascua de un color oro viejo con un ancho borde violeta que conseguía que cuando se posaban en un prado se hiciera casi imposible determinar si se trataba de auténticas mariposas o de exóticas flores ligeramente agitadas por el viento.

Eran, eso sí, las mayores y más hermosas de que incluso doña Alicia, la maestra, tuviera conocimiento, pues aunque buscó en libros especializados, no consiguió encontrar referencia alguna a las razones de su proliferación, o su lugar de procedencia.

Resultaba excepcionalmente relajante contemplarlas, y no tan sólo por el innegable placer que proporcionaban a la vista, sino sobre todo porque obligaban a experimentar una indescriptible sensación de abulia, como si todo cuanto pudiera ocurrir a partir de aquel momento importara muy poco, sin detenerse a pensar más que en el hecho de que el mundo era hermoso y valía la pena vivir sin mayores complicaciones.

El extraño efecto que producía su presencia era en cierto modo semejante al de una droga muy suave o un alcohol de pocos grados, provocando un estado mental en el que el afectado se sentía perfectamente consciente de cuanto le rodeaba, pero absolutamente incapaz de tomar decisiones o llevar a cabo un acto mínimamente constructivo.

Ése era al menos el modo en que afectaban a Gacel, Catalina, doña Alicia e incluso a María Manuela, mientras que al bueno de Ramoncín le asaltaba por el contrario una sonora, apestosa e incontenible flatulencia.

Sobre quien sí influyeron —y mucho— fue sobre don Alfonso de Moratalla y Barbuzano, pues el día en que al fin decidió reunir en el Salón de Plenos del Ayuntamiento a la mayoría de los vecinos del pueblo con el propósito de mostrarles los planos del complejo «Shangrila-Monteoscuro», adjuntando una breve memoria económica, se detuvo de pronto en plena disertación, siguió con la vista las evoluciones de una de aquellas enormes mariposas que acababa de hacer su entrada en la estancia, y tras un corto paréntesis en el que se diría que su mente se había quedado en blanco, señaló:

—Para abreviar, señores, me gustaría puntualizar que mi único interés en este negocio se centra en ganar la mayor cantidad de dinero posible, estafarles cuanto me dejen, y lavarme las manos sobre lo que le pueda ocurrir más tarde a ese maldito bosque y a este pueblucho inmundo.

Como resulta lógico imaginar, ante tal sarta de barbaridades se hizo un silencio de muerte, y tanto *Gorrinos* como *Berzotas* se observaron perplejos temiendo haber oído mal e incapaces de reaccionar ante tamaña demostración de desfachatez.

Por fin, el alcalde, que era a todas luces quien tenía la obligación de llevar la voz cantante, se atrevió a inquirir con cierta timidez:

—Perdone, don Alfonso, pero si he comprendido bien, usted acaba de decir que lo que pretende es robarnos.

—Exactamente —replicó el otro con absoluta naturalidad.

Nuevo desconcierto, y por último, don Genaro se volvió al secretario particular de don Alfonso, un hombre alto y muy flaco que también formaba parte de la presidencia de la mesa, al que suplicó:

—¿Podría aclararme qué es lo que está ocurriendo, por favor?

—Nada en especial —replicó el interrogado con desenfadada franqueza—. Sin duda es lo que ese cerdo piensa hacer, porque siempre ha sido un ladrón y un estafador que actúa impunemente aprovechando que tiene sobornados a la mitad de los políticos del país.

—¡Pero Riaño...! —le interrumpió escandalizado don Alfonso de Moratalla y Barbuzano—. ¿Qué está usted diciendo?

—La verdad —fue la respuesta.

—¡Queda despedido!

El tal Riaño se limitó a encogerse de hombros con gesto despectivo:

—Mucho me importa dejar de trabajar para semejante sinvergüenza y dejar de tratar con semejante panda de palurdos.

Se liaron a bofetadas, y las gentes de Monteoscuro —*Gorrinos* y *Berzotas* al alimón, que en este caso estuvieron de acuerdo y por primera vez en mucho tiempo no hicieron distingos— los persiguieron a pedradas hasta el río, para acabar por lanzarlos al agua permitiendo que la corriente los arrastrara dando gritos de auxilio.

Cuando los airados lugareños se reunieron poco más tarde en la taberna en un esfuerzo por calmar los ánimos con ayuda de unas cuantas cervezas, el alcalde se puso en pie sobre una mesa, pidió silencio, y en el momento de iniciar su discurso se quedó observando unos instantes a una mariposa amarilla que cruzaba al otro lado del ventanal para acabar por comentar:

—Siento mucho lo ocurrido, pues aunque don Alfonso, el señor notario, y yo, habíamos decidido quedarnos con la mayor parte de los beneficios, nunca imaginé que ese cretino fuera tan estúpido como para desvelarlo.

Alguien tumbó la mesa, los mantearon —a él y al señor notario que andaba ya cerca de los setenta— y tras molerlos a palos los arrojaron también al río.

Pero aquellos dos desconcertantes incidentes constituyeron tan sólo el principio del gran drama que poco después se abatiría sobre Monteoscuro, puesto que apenas una hora más tarde el pueblo en pleno era como un inmenso campo de batalla en el que cada cual le espetaba abiertamente a su vecino, su mujer, su padre o su hermano, lo que en verdad pensaba de él. No hubo nadie, ¡ni un solo habitante del pueblo, hombre o mujer, joven o viejo!, que no acabara con un ojo morado, la nariz sangrante o un labio partido.

Docenas de mariposas amarillas revoloteaban por doquier.

Tan sólo al caer la noche, cuando las mariposas regresaron a sus refugios del bosque, la sensatez se apoderó de nuevo de los vecinos, que comenzaron a preguntarse por qué absurda razón semejante locura colectiva, en la que hasta los más ecuánimes habían perdido todo control sobre sí mismos, había estallado como una furiosa tormenta de verano, y la maestra, que seguía siendo la persona más culta de la comunidad concluyó por atribuirlo al hecho de que la decepción provocada por el engaño de don Alfonso y la traición del alcalde, había actuado a modo de detonante sacando a flote los más ocultos resentimientos.

—Lo que en verdad importa —concluyó— es que dejemos atrás este nefasto día y nos olvidemos de cuanto hemos dicho y hecho como si jamás hubiera ocurrido. Mañana todo volverá a la normalidad.

Pero las únicas que volvieron al día siguiente fueron las mariposas.

Y con ellas regresó la discordia, puesto que en el momento en que doña Mariana Morales, una rígida ama de casa de intachable reputación, le confesó sin venir a cuento a su marido que no volvía de misa, sino de acostarse con Primitivo Garmendia, el panadero —cosa que acostumbraba a hacer tres veces por semana— se inició una vez más una trifulca generalizada que nadie encontró forma humana de atajar.

Catalina acudió al bosque a media tarde huyendo de aquel infierno, llorando sin consuelo, y lamentándose por el hecho de que Monteoscuro se hubiera convertido en un lugar salvaje e inhabitable por culpa de su único hijo.

—¿Por qué mía? —quiso saber Gacel.

—Porque desde que se te ocurrió la absurda idea de vivir en los árboles, la gente parece haberse vuelto loca.

—Por lo que me cuentas —replicó el chiquillo no sin cierta razón— no es que se haya vuelto loca; es que se ha vuelto sincera.

—Quizá la sinceridad no sea más que una forma de locura —admitió ella—. Todo el mundo anda diciendo lo primero que le viene a la mente, y así no hay forma de vivir.

—¿Y qué tiene que ver el que me suba a los árboles con que la gente haya dejado de mentir? —argumentó Gacel bastante molesto por lo que se le antojaba una absurda acusación sin fundamento.

—No lo sé —replicó la desolada Catalina—. Pero sospecho que así es.

Ni siquiera el niño quiso aceptar tan aventurado razonamiento, pues ni siquiera él alcanzó a relacionar la proliferación de mariposas amarillas con la epidemia de honestidad que parecía haber atacado de improviso a los seres humanos.

Pero todo comenzó a aclararse cuatro días más tarde —cuando ya casi la mitad de sus antiguos convecinos habían decidido emigrar hasta que los ánimos se calmaran—, momento en que descubrió en un claro del bosque a la hermosa mujer de los ojos cambiantes, aunque en esta ocasión no aparecía ya resplandeciente, sino que aparentaría unos cincuenta años, y tanto su voz como sus gestos denotaban que se encontraba profundamente fatigada.

—¿Qué te ha ocurrido? —inquirió el chiquillo sin poder ocultar su desconcierto—. Tienes muy mal aspecto.

—Volví a tropezar con los hombres —replicó ella con una leve sonrisa amarga—. Pero en esta ocasión conseguiré recuperarme sin tu ayuda.

—Me gusta ayudarte —le hizo notar él—. No hay nada que desee con más fuerza, aunque odio que vuelvas a marcharte para pasar por esto.

—Será la última vez —señaló convencida—. Al fin he encontrado la forma de vencer a los humanos.

—¿Vencer a los humanos? —se sorprendió el niño—. ¿Cómo?

Los ojos de la extraña mujer cambiaron de color y se hicieron tan negros como la noche más oscura.

—Dejando de ser generosa —musitó—. Durante miles de años les he proporcionado toda clase de frutos con los que alimentarse, hermosos paisajes en los que vivir, ricos pastos para criar sus animales e incluso exóticas plantas de las que obtener remedios contra sus enfermedades. —Lanzó un hondo suspiro—. Todo cuanto necesitaban lo obtenían de mí, pero no sólo no han sabido agradecérmelo, sino que me han maltratado, humillado y ofendido. —Negó con un gesto—. Y ya no lo soporto.

—¿Qué piensas hacer? —se alarmó Gacel.

—Lo que estoy haciendo... —replicó al tiempo que sus ojos adquirían una desconcertante tonalidad violeta—. Le estoy arrebatando al ser humano la más terrible de sus armas.

—¿Y es...?

—La mentira.

—¿La mentira? —repitió el chiquillo estupefacto—. ¿Qué quieres decir con eso?

—Que si despojo al hombre de su inagotable capacidad de mentir, se acabará como especie y yo recuperaré mi antigua lozanía. —Sus ojos lanzaron violentos destellos marrones—. Los animales nunca mienten; no han aprendido a hacerlo, y por eso convivíamos en paz y en armonía. —Sonrió una vez más—. Quiero volver a los tiempos en los que todo era lo que aparentaba ser.

—¿Y cómo piensas conseguirlo? —quiso saber Gacel.

La mujer de los ojos cambiantes señaló a dos mariposas amarillas posadas sobre un claro.

—A través de ellas —replicó—. Del mismo modo que fui capaz de crear el alcohol que embota los sentidos, las drogas que anulan las voluntades, o los venenos que destruyen las vidas, he sabido crear unos seres ante cuya presencia los hombres pierden la capacidad de conectar sus ideas con el fin de pensar una cosa y decir otra. —Golpeó con el dedo el tronco sobre el que se sentaba—. Ya nunca más conseguirán hacerlo —sentenció—. Ya nunca sabrán mentir.

El asombrado Gacel a punto estuvo de caer del castaño en que se encontraba subido y desnucarse, pues aquélla era la más sorprendente explicación que hubiera escuchado a lo largo de su ya demasiado sorprendente vida.

A pesar de que era aún muy joven, siempre había sido un niño extraordinariamente intuitivo, y ello le permitió captar de inmediato lo que podía ser un mundo en que el hombre hubiese perdido la facultad de ocultar sus sentimientos.

Comprendió sin gran esfuerzo las razones de cuanto había acontecido aquellos días en Monteoscuro, y trató de imaginar lo que sucedería en una gran ciudad cuando todos sus habitantes anduvieran por las calles soltando sin recato lo que pensaban.

El ser humano no estaba preparado para decir siempre la verdad, y mucho menos aún para escucharla, y aunque la mayoría de la gente presumiera de no mentir jamás, «jamás» era en este caso una palabra sin validez, porque callar no significaba lo mismo que decir la verdad por mucho que algunos pretendieran que así era.

—No es justo —señaló al fin—. Al hombre tan sólo se le concedió la astucia para enfrentarse a sus enemigos, e impedirle mentir será como quitarle las garras al león o la velocidad a la gacela.

—Se trata de él o yo —fue la respuesta de la mujer de los ojos cambiantes—. Y si acaba conmigo, y camino lleva de hacerlo, acabará también consigo mismo. —Hizo una corta pausa y sus ojos volvieron a ser negros—. Ha llegado el momento de detenerle —sentenció.

—Pero hay muchos que no quieren destruirte —le hizo notar el niño—. Son millones los que luchan para que vuelvas a ser tan hermosa como antaño. Incluso algunos sufren por ello.

—No son los suficientes —fue la fría respuesta—. Ni luchan con la suficiente intensidad. La prueba de que así es la tienes delante. ¡Mírame! Como ser humano tendrías que avergonzarte por mi aspecto.

Alargó luego la mano, hizo que una mariposa se posase sobre su índice y permitió que el niño la estudiara.

—¡Observa! —dijo—. El polvillo que cubre sus alas penetra en el cerebro de los hombres impidiéndoles urdir mentiras. Su única misión es interrumpir la conexión entre «lo que es» y «lo que no es». —Sonrió con tristeza—. Por desgracia no he conseguido que haga diferenciaciones entre quienes me aman y quienes no, al igual que el veneno no distingue entre buenos y malos.

Depositó la mariposa sobre la palma de la mano de Gacel, que examinó con detenimiento aquel delicado insecto de apariencia inofensiva.

—Parece increíble que una cosa tan pequeña esté en condiciones de causar tanto daño —comentó casi por decir algo.

—Más pequeña es una pulga, y la peste causó estragos —replicó la inquietante mujer al tiempo que se disponía a partir—. Pero no te preocupes —añadió—, supongo que los hombres acabarán por acostumbrarse a vivir con la verdad, de la misma forma en que se han acostumbrado a vivir con las mentiras. Aunque les resultará muy duro, porque verdad tan sólo hay una, mientras que las mentiras pueden ser infinitas. —Hizo un ademán de despedida—. Si al final lo consigue tal vez tenga una delicada misión que encomendarte, pero ten presente que no debes hablarle a nadie de estas mariposas, ni de mí —concluyó.

Era evidentemente un secreto demasiado pesado para los hombros de una criatura tan frágil, y cuando Catalina le confesó que esa misma mañana no había podido impedir gritarle a su marido que era un borracho indecente y un ladrón de libros, Gacel estuvo a punto de aconsejarle que se mordiera la lengua en cuanto advirtiera la presencia de una mariposa amarilla.

Prefirió cambiar de tema, pues había llegado a la conclusión de que la única forma de no decir la verdad era no decir nada, y sería justo hacer notar en su descargo que durante varios días se sintió tremendamente culpable a causa de ese silencio, y de no atreverse a impedir que la situación de los habitantes de Monteoscuro continuara deteriorándose.

Por fin, al cabo de poco más de dos semanas llegó el ministro.

El misterio que rodeaba a un bosque que vivía un

caluroso verano a mediados de noviembre, y de un pueblo atacado por una absurda epidemia de sinceridad que estaba provocando que se quedara sin vecinos, acabó por llamar la atención de las más altas esferas del poder, y el mismísimo Presidente del Gobierno encargó a su ministro de Medio Ambiente que hiciera un detallado informe sobre cuanto estaba sucediendo en aquel remoto rincón de la geografía nacional.

El ministro era un hombre severo, autoritario y seguro de sí mismo; un sesudo profesor de espesa barba y gruesos lentes, que a las dos horas de haber puesto el pie en Monteoscuro convocó a los periodistas en el Salón de Plenos del Ayuntamiento y pese a que no acudió ningún concejal —visto que ya los habían tirado a todos al río— expuso sin el menor reparo sus muy bien meditadas teorías:

—Nuestros expertos han estudiado a fondo los sorprendentes fenómenos que aquí han ocurrido —comenzó—. Y debo admitir que no tienen ni la más remota idea de a qué puede deberse, ni el más mínimo interés en averiguarlo. El señor Presidente, que por cierto cada día está más pretencioso e insoportable, me ha ordenado que declare que todo se encuentra bajo control, pero ya estoy más que harto de andar de «correveidile» de sus bobadas y de cargar con el muerto de su asombrosa ineptitud...

Ahí se acabó el discurso, y de igual manera en ese mismo instante acabó para siempre la carrera política del señor ministro, que por lo visto se pasó luego varios días escuchando una y otra vez la grabación de sus palabras, pues ni siquiera él mismo era capaz de aceptar que hubieran salido de su boca.

El bosque de Monteoscuro consiguió provocar una auténtica crisis de gobierno, aunque eran ya multitud los que pedían la cabeza de Gacel alegando que era aquel maldito niño quien desencadenaba semejante cúmulo de calamidades, sin que nadie se detuviera a reflexionar en el hecho de que el mundo estaba ya más que podrido desde muchísimo antes de que él naciera, y su único delito estribaba en no querer entrar a formar parte de semejante putrefacción, limitándose a subirse a un árbol para que la mierda no le llegara a las rodillas.

Más tarde le había seguido el *Gurriato*, y por último fue el propio Benito el que un buen día se presentó en el bosque cargando con un saco en el que traía todas sus pertenencias y suplicando que le enseñaran a vivir en las copas de los árboles, puesto que no soportaba un minuto más los abusos y arbitrariedades de los adultos.

Al fin acabó por confesar que su madre había admitido públicamente días atrás que la menor de sus hijas era en realidad hija del panadero, con lo que concluyó por aclararse que el en apariencia tímido e inofensivo Primitivo Garmendia se había dedicado a trabajarse a conciencia a un número muy elevado de parroquianas, sin hacerle ascos ni a *Gorrinas*, ni a *Berzotas*.

Media docena de maridos airados optaron por sumergirle en un barril de engrudo para empolvarlo luego con su propia harina y abandonarlo en mitad del helado páramo, aunque ello trajera aparejado que en Monteoscuro ya ni siquiera hubiera pan.

Lo que ocurrió ese mismo día hubiera sorprendido a Gacel en el caso de que todavía le quedara alguna capacidad de sorprenderse —cosa sin duda harto difícil— y es que contra todo lo que cabía imaginar, aquel mismo Benito que en cierta ocasión estuvo a punto de romperse la crisma al caerse del roble, comenzó a caminar por las ramas de los árboles casi con la misma facilidad con que el propio Gacel lo hacía, y esa noche, poco antes de quedarse dormido, admitió que confiaba en poder quedarse allí arriba para siempre.

—Aquí se respira —fue lo último que murmuró—. Y el cielo está más cerca.

Y lo estaba, en efecto.

Veinte metros no era una diferencia apreciable cuando se medía la distancia que separaba el suelo de las estrellas, pero es que esas estrellas se encontraban tanto más cerca cuanto más alto estaba el ánimo de quien las contemplaba, y por lo visto en la copa de un roble los ánimos se elevaban al infinito.

Por desgracia, al día siguiente acudió a despedirse María Manuela, y a Gacel le dolió en el alma, pues sabía muy bien que la familia de su mejor amiga había sido siempre un ejemplo de armonía que todos envidiaban. Por esa misma razón, y sin que hubiera mediado aún disputa alguna, sus padres habían decidido abandonar el pueblo antes de que el enrarecido ambiente que en él se respiraba concluyera por destruir su bien ganada felicidad.

—Ni siquiera ellos pueden vivir con la verdad a todas horas —le hizo notar María Manuela con aquella inolvidable sonrisa que olía a limón—. Prefieren seguir queriéndose con ayuda de pequeñas mentiras, que arriesgarse a tener que separarse. La verdad no siempre es una buena compañera.

—¿Y a dónde piensan ir? —inquirió de inmediato Benito.

—No lo sé —admitió ella—. Pero tampoco importa. Cuando estás bien con los tuyos estás bien en todas partes. —Sonrió de nuevo—. Pero os echaré de menos.

—Escríbenos.

—¿Cómo? —quiso saber—. En el pueblo no queda ya ni el cartero.

El *Gurriato*, que había asistido a la charla tan silencioso como siempre, inmerso como estaba en la tarea de tallar una de sus originales figuritas, alzó la mano pidiendo que le prestaran atención, y rebuscando en una enorme bolsa que llevaba siempre consigo y que había pertenecido al viejo Arcadio, extrajo un gran mirlo de madera y se lo llevó a la boca comenzando a soplar por un diminuto orificio que tenía en la cola.

Era un reclamo, tan perfecto, que a los pocos instantes un mirlo auténtico respondió desde la espesura, y en menos de lo que se tarda en contarlo iniciaron uno de aquellos absurdos e interminables «diálogos» a que tenía acostumbrados a los presentes.

Por último lo limpió bien y se lo alargó a María Manuela.

—Para ti —murmuró.

La niña lo aceptó, comenzó a silbar, el mirlo le respondió de inmediato, y el hermoso semblante de la chiquilla se iluminó para observar largamente al *Gurriato* y dedicarle la más seductora de sus sonrisas.

—¡Es fantástico! —exclamó—. Lo más maravilloso que me han regalado nunca. —Se volvió hacia Gacel—. Puedo hablar con los mirlos —añadió—. Entienden lo que les digo y yo los entiendo a ellos.

—¡Anda ya! —protestó incrédulo Benito alargando la mano con intención de apoderarse del reclamo—. ¡Déjame probar!

Pero el *Gurriato* se lo impidió interponiendo su gigantesca humanidad.

—Sólo ella —dijo.

—¿Por qué?

Ramoncín se limitó a encogerse de hombros.

—Sólo ella —repitió, y había tanta firmeza en sus palabras que todos comprendieron que, por alguna misteriosa razón, tan sólo María Manuela y el propio *Gurriato* estaban autorizados a «hablar» con los pájaros.

Gacel se había buscado demasiados enemigos, no sólo para un chiquillo de su edad, sino incluso para un viejo centenario, pues no es moneda corriente que ni aun a lo largo de cien años de vida alguien que no pretende hacer política consiga no obstante que todo un pueblo esté en su contra, un ex ministro le odie a muerte, e incluso un gobierno en pleno analice con lupa todos sus movimientos.

Monteoscuro ya no tenía alcalde, notario, panadero, médico, boticario, «tonto oficial», concejales, ni casi habitantes, y los pocos que iban quedando parecían cada vez más convencidos de que aquel rebelde mocoso era el único culpable de todas sus desgracias.

Doña Alicia, que se había quedado prácticamente sin alumnos, seguía siendo —aparte de su madre— la única persona que aún le defendía en un inútil esfuerzo por hacer comprender a sus convecinos que por el simple hecho de que un niño decidiera pisar de nuevo la tierra, ellos no dejarían de ser lo que siempre habían sido, y el gigantesco castillo de mentiras que habían alzado a lo largo de generaciones de engañarse los unos a los otros tampoco conseguiría restaurarse como si nada hubiera ocurrido.

Incapaces de sospechar que eran unas inofensivas mariposas las que les obligaban a decir la verdad en contra de su voluntad, se desesperaban ante la impotencia que significaba el no ser dueños ni tan siquiera de sus propias palabras, ya que con frecuencia se veían obligados a contradecir, a plena luz del día, aquello que habían asegurado mientras las mariposas dormían.

¿Se ha detenido alguien a reflexionar sobre el estado de ánimo en que se encuentran quienes no pueden evitar reconocer en público que su vida no es más que un cúmulo de falsedades?

¿Tiene alguien la más remota idea de cuántas cosas desagradables llegarían a decirse los seres que más se aman si se echaran en cara pequeños defectos con los que se acostumbra a vivir pero que en el fondo irritan?

Si existe un infierno en la otra vida para los que siempre mienten, no cabe duda de que el infierno en este mundo debe estar reservado a aquellos que siempre dicen la verdad, pues con el paso del tiempo la situación en Monteoscuro llegó a tales extremos de desconcierto y degradación, que psiquiatras, sociólogos e incluso dos parapsicólogos se sintieron atraídos por el curioso fenómeno que se estaba dando en aquel olvidado villorrio rodeado de bosques, pero cuantos acudieron a intentar desvelar sus secretos, cayeron de inmediato en la trampa de la verdad desnuda; trampa que ni tan siquiera los más astutos estaban en condiciones de eludir.

Alguien, nunca se ha sabido quién, pero es de suponer que alguien relacionado con el gobierno, debió imaginar que lo mejor que se podía hacer con un lugar que tantos quebraderos de cabeza proporcionaba era destruirlo antes de que el temible «mal» que le afectaba pudiera propagarse, y fue así como a los cinco días de marcharse María Manuela llegaron al pueblo los hermanos Cortázar, que hablaban poco y no se trataban con nadie, pero que por lo visto venían decididos a realizar su trabajo de forma discreta, rápida y eficaz, pues no en vano les habían dejado salir de la cárcel debido al hecho de que estaban considerados como los mejores profesionales de su especialidad en un país en el que por desgracia dicha especialidad abundaba en demasía.

Para Catalina aquélla fue la gota que rebosaba el vaso, y le «exigió» a Gacel —con toda la autoridad que es capaz de imponer una madre que teme por la vida de su hijo— que abandonara el bosque y se «reintegrara» a la vida de la comunidad, permitiendo que unas aguas que ya se habían desbordado en exceso volvieran a su cauce.

—¿Y adónde quieres que vaya? —quiso saber el niño—. ¿A Monteoscuro? En cuanto pusiera el pie en el pueblo me molerían a palos.

A decir verdad tampoco Catalina deseaba continuar viviendo en el pueblo, ahora que su marido ya no estaba, pues aún no se había atrevido a confesarle a su hijo que Bernardo se había fugado con la mujer de don Facundo —la tía de Ramoncín el *Gurriato*—, una rubia flacucha que pese a haber estado considerada siempre una simplona incapaz de alzar la voz o tener un mal pensamiento, un buen día se apoderó de cuanto su marido había conseguido ahorrar en toda una vida de servir comidas y jarras de vino, para dilapidarlo en un mes de alcohol y desenfreno en las salas de juego de un hotel de lujo de la costa.

En su descargo tan sólo cabe argumentar que tomó tal decisión el día en que don Facundo se quedó observando una gran mariposa amarilla posada en un rosal para confesarle de sopetón que llevaba más de tres años engañándola con su cuñada Inocencia.

A raíz de quedarse sola, Catalina fue de la opinión de que lo mejor que se podía hacer era marcharse a un lugar en el que nadie los relacionara con cuanto había sucedido en Monteoscuro para iniciar una nueva vida olvidando el pasado.

—¿Y qué hacemos con Benito y el *Gurriato*, madre? —le hizo notar su hijo—. ¿Los dejamos aquí para que carguen con las culpas de cuanto yo provoqué? No se me antoja justo.

—Los llevaremos con nosotros —fue su inmadura respuesta.

—¿Y crees que te las arreglarías con tres «hijos», el mayor, «retardado» y el más pequeño, «conflictivo»? —quiso saber el niño—. Tendrías que pasarte el resto de la vida fregando escaleras para sacarnos adelante.

Así era en efecto, y así lo reconoció la buena mujer muy a pesar suyo, puesto que había crecido a la sombra del viejo Arcadio para pasar de inmediato a depender de un hombre que bien o mal, borracho o sereno y agresivo o cariñoso, había sabido hacer frente a los gastos de la casa sin obligarle a buscarse el sustento en la calle.

Regresó por tanto al pueblo tan abatida y descorazonada que incluso el ausente Ramoncín no pudo por menos que advertirlo, y tras contemplar largo rato a su amigo desde el caído tronco en que solía sentarse a la hora de comer, agitó la cabeza y dejó escapar la frase más larga que había pronunciado en toda su vida:

—Menudo lío has armado —dijo.

Gacel era lo suficientemente sensible e inteligente como para no necesitar que un «retardado» viniera a recordarle lo que resultaba harto evidente y, tras observar cómo su madre se perdía de vista al otro lado del puentecillo, inquirió visiblemente molesto:

—¿Se te ocurre alguna forma de arreglarlo?

El gigantón se limitó a negar con un gesto y musitar:

—Yo no sé pensar.

Tampoco a Benito se le ocurrió gran cosa, y si se le ocurrió no tuvo tiempo de exponerlo, pues fue casi en ese mismo instante cuando se dejaron escuchar las explosiones y de inmediato comprendieron que los hermanos Cortázar habían puesto manos a la obra.

El bosque estaba reseco tras tantos meses en los que las nubes parecieron querer evitarlo a toda costa, y las hojas caídas a principios de otoño formaban una gruesa alfombra en la que las llamas prendieron de inmediato, de tal forma que en cuestión de minutos el fuego se propagó a un espeso matorral que ardió como una antorcha lanzando al cielo una densa nube de humo que los autores de la hazaña pudieron contemplar desde las mismas puertas de la taberna de don Facundo.

—Mañana ya no habrá bosque —dicen que dijeron.

Y está claro que sabían de lo que hablaban, pues no en vano habían arrasado miles de hectáreas de bosque en los ocho últimos años.

Sus sofisticados métodos solían ser infalibles y a ello añadían la ventaja de que cada vez que se iniciaba un incendio se encontraban lejos del foco y rodeados de testigos.

Durante poco más de diez minutos los escasos habitantes que aún quedaban en Monteoscuro observaron el fuego que amenazaba con aniquilar la que había sido en otros tiempos su mayor fuente de riqueza, y parece ser que algunos incluso aventuraron la posibilidad de correr a sofocarlo.

—Será tiempo perdido —dicen que dijo el mayor de los Cortázar—. Tal como está la situación, si no arde hoy, arderá mañana.

Así lo entendieron la mayoría de los vecinos, que se limitaron a contemplar cómo la ancha columna de humo iba ganando en altura hasta alcanzar una oscura nube que había hecho su aparición en el cielo sin que nadie fuera capaz de señalar de dónde había salido, y que de pronto descargó una tromba de agua tan violenta y generosa, que a los cinco minutos de las voraces y espectaculares llamas no quedaba ni el más leve rescoldo.

—¡Mierda! —dicen que dijo el mayor de los Cortázar—. Con tanto bosque como hay, tuvo que ir a llover precisamente en ese punto.

Así fue pese a que nadie comprendiera las razones, ya que la tromba de agua no cayó sobre el pueblo, el río ni aun sobre la cabaña de Arcadio que se alzaba a poco más de un kilómetro de distancia, sino que se derramó sobre el punto exacto en que se había iniciado el fuego, como si un gigantesco y eficaz bombero apuntara su inmensa manguera desde el mismísimo cielo.

Cualquier otro, menos empecinado o menos profesional, habría aprendido la lección pensándoselo dos veces antes de reintentar la aventura, pero los Cortázar no eran de los que acostumbran a dejar trabajos a medias, y tres días más tarde, cuando se cercioraron de que no se distinguía una nube en el horizonte, se lanzaron nuevamente al ataque.

En esta ocasión la nube tardó en hacer su aparición poco más de diez minutos.

—¡Mierda! ¡Mierda! ¡Mierda! —dicen que dijeron los Cortázar, lo cual resulta evidente que no es decir gran cosa ni demasiado inteligente.

Pero al tercer intento los acontecimientos se precipitaron, pues en esta ocasión la nube fue mucho más diligente que los hermanos Cortázar, ya que adelantando su aparición les sorprendió en pleno bosque, con lo que un rayo dejó al mayor sin un vello en el cuerpo para el resto de sus días, y al menor, tartamudo, alelado y con la boca torcida.

Se los tuvieron que llevar en ambulancia, directamente a la cárcel de donde habían salido, pues por lo visto el trato era la libertad a cambio del bosque, y estaba claro que el bosque continuaba allí, desafiando al mundo a que acudiera a destruirle.

Aun así, hay quien continúa creyendo que Gacel tuvo algo que ver en todo ello, aunque la mayoría se inclina a pensar que en esta ocasión la Naturaleza había decidido demostrarle a los seres humanos que cuando se lo propone sigue siendo la más fuerte, y que por mucho que se deje maltratar, es como una madre paciente que en el momento de enfadarse mete en cintura a sus hijos de un simple bofetón.

Y es que el hombre olvida que vive sobre la tierra y

de la tierra, pero como continúe humillándola, día llegará en que se verá obligado a abandonarla tal como el arcángel le obligó en una ocasión a abandonar el paraíso.

Al fin, el propio Presidente del Gobierno pareció aceptar que los problemas que planteaba lo que los medios de comunicación comenzaban a denominar «El Bosque Impenetrable», exigían la presencia de alguien lo suficientemente ecuánime, inteligente y honesto como para estar en condiciones de hacer un informe exhaustivo sobre lo que en verdad estaba aconteciendo en un remoto rincón del país llamado Monteoscuro.

Y el hombre elegido fue el ex presidente del Tribunal Supremo de Justicia, don Constantino Alba-Bermejo, quien no sólo poseía la honradez, inteligencia y ecuanimidad exigidas, sino que además era una de las pocas personas de este mundo que no tenían por qué sentirse incómodas con la misión que le había sido encomendada, puesto que tenía justa fama de no haber dicho una sola mentira en toda su vida.

Por si tales méritos no bastaran, era viudo, sin hijos, sin compromisos políticos y sin ambiciones económicas debido a su avanzada edad y su cuantiosa fortuna personal, por lo que quedaba claro que en esta ocasión el bosque se enfrentaba a un difícil enemigo, ya que si un enemigo no es tanto más peligroso cuanto más fuerte pueda parecer sino cuantos menos puntos débiles ofrezca, el juez Alba-Bermejo, que había pasado casi medio siglo esforzándose por entender a los seres humanos y sus complejas pasiones juzgando de acuerdo a su conciencia con absoluta independencia, no ofrecía moralmente resquicio alguno por el que se le pudiera atacar.

Llegó solo, sin escolta y sin fanfarrias, alquiló una modesta habitación en la posada, y lo primero que hizo fue visitar a doña Alicia que ahora se pasaba la mayor parte del tiempo leyendo, dado que apenas cuatro o cinco niños acudían a clase y no siempre a diario.

Nunca se supo de qué hablaron, aunque es de imaginar que debió ser del bosque y de Gacel, porque a la mañana siguiente el magistrado hizo su aparición frente a la cabaña de Arcadio, sobriamente vestido de gris, con su sombrero, su cabello muy blanco y su bastón, y de inmediato el niño pareció comprender que se trataba de un adulto diferente en quien se podía confiar y a quien no se le debía temer aunque sí lógicamente respetar.

Tomó asiento en su propio bastón, cuya parte alta se abría formando una especie de silla a la que debía estar muy habituado y en la que al parecer se sentía muy cómodo, puesto que dedicaba la mayor parte de su tiempo libre, que era mucho, a dar largos paseos por el campo y sentarse a leer o a contemplar el paisaje acomodado en tan sencillo y curioso artilugio.

Tenía los ojos muy azules y casi transparentes y aunque lo observaba todo con el ceño fruncido, en el fondo de la retina se podía distinguir una especie de burla o velada ironía, quizá sorprendido por el hecho de que alguien de su edad, estuviese no obstante alzando la cabeza para contemplar a un diminuto mocoso que le estudiaba con descaro encaramado en las ramas de un roble.

—¿Así que tú eres el famoso «niño arbóreo»? —in-

quirió después de observar a Gacel con particular detenimiento—. Te imaginaba diferente.

—¿Cómo? —quiso saber el aludido, evidentemente
intranquilo y a la expectativa.

—Más salvaje —replicó don Constantino con una
leve sonrisa—. Una especie de Tarzán en miniatura, o
una de esas criaturas sucias y desgreñadas que salen
en las películas porque los han encontrado viviendo
con lobos.

—Yo soy normal —puntualizó Gacel un tanto
amoscado por semejante comparación—. Tengo padre
y madre, he hecho la Primera Comunión, y antes de
que muriera mi abuelo iba a la escuela.

—No he tenido demasiado trato con niños —admitió el otro con un cierto tono de queja—. Por fortuna
sus fechorías no suelen llegar a los tribunales, pero por
lo que sé de ellos, no es muy normal que se suban a un
árbol y se nieguen a poner los pies en tierra durante
meses. ¿Por qué lo haces?

—Mi abuelo me advirtió que los hombres han convertido la Tierra en un infierno y los que la pisan acaban transformándose en demonios —fue la respuesta—. Por eso decidí quedarme aquí.

El magistrado meditó la respuesta, movió afirmati-
vamente la cabeza como si admitiera que así era en
efecto, y por último señaló:

—Tu abuelo debía ser muy inteligente —dijo—.
Aunque a mi modo de ver son los hombres los que llevan el infierno dentro y acaban contaminando cuanto
tocan, se trate de la Tierra o de ese árbol. Si en tu alma
está ser un demonio, lo serás aun en la rama más alta,
y si está ser un ángel podrás serlo en el fondo de una

mina. La libertad de elegir entre el bien y el mal es lo único que cuenta.

—Puede que sea como dice —admitió el chiquillo—, pero lo que resulta evidente, es que aquí arriba tengo muchísimas menos posibilidades de que me contamine que viviendo en el pueblo.

—Buena respuesta —reconoció el magistrado—. Aunque demuestra que tienes poca confianza en ti mismo. Quien no desee que le contaminen le bastará con subirse a su propio árbol interior sin necesidad de que sea un roble centenario.

En ocasiones a Gacel le resultaba muy difícil hablar con don Constantino, pues éste era un hombre muy viejo y muy culto que le obligaba a sentirse aún más pequeño de lo que ya lo era, pero aun así con harta frecuencia conseguía que tuviera la impresión de estar hablando con el mismísimo Benito o el *Gurriato*.

Don Constantino lo observaba siempre todo a su alrededor con aquellos ojos casi transparentes, y el chiquillo nunca pudo evitar que le asaltara la absurda sensación de que conseguía ver mucho más lejos de lo que los demás veían.

Al cabo de unos minutos y cuando advirtió que el pequeño ya no parecía recelar de sus intenciones, inquirió:

—¿Tienes idea de por qué están ocurriendo tan extraños fenómenos?

—La tengo —respondió Gacel.

—¿Piensas decírmelo?

—No.

Le observó severamente y a Gacel no le hubiera gustado estar sentado en el banquillo de los acusados y que un juez le mirase de aquel modo.

—Sin embargo —dijo éste al fin—, por lo que me han explicado, el problema se centra en que aquí todo el mundo se ve obligado a decir la verdad, lo cual significa que si te hago una pregunta muy directa no tienes más remedio que responderme con absoluta sinceridad.

Desde la altura en que se encontraba el niño pudo comprobar que, sin que se explicara la razón, ese día no se distinguían mariposas amarillas por los alrededores, lo cual le ayudó a responder con una cierta tranquilidad:

—No necesariamente. Puede que esté obligado a decir la verdad, pero también puede que no. Supongo que le habrán contado que aquí de noche la gente miente, y de día dice la verdad.

—Pero ahora es de día —le hizo notar con marcada intención don Constantino Alba-Bermejo—. ¿O no...?

—Sí. Es de día... —admitió el chiquillo, al que la situación comenzaba a divertir pues resultaba evidente que, pese a que su interlocutor fuese un hombre tan viejo y tan sabio, le llevaba ventaja dado que el otro presuponía que no podía mentir, mientras que él empezaba a estar seguro de que se encontraba en disposición de hacerlo—. ¿Y qué...?

—Nada —insistió el magistrado—. Que como ahora es de día me limito a preguntarte si conoces la razón por la que está sucediendo todo esto.

—¡Desde luego! —admitió el niño.

—¿Y es...?

—Ésa ya es otra cuestión —le hizo notar con desparpajo—. Una cosa es que no esté en condiciones de mentir, y otra muy diferente que me vea obligado a contarle algo que no deseo contar.

—¡Jovencito! —exclamó don Constantino dedicándole una de aquellas severas miradas que siempre guardaban un punto de ironía—. O yo no he aprendido gran cosa en tantos años en los tribunales, o tú eres un redomado enredador. ¡No juegues conmigo! ¿Cuál es esa razón?

—Prometí no revelarlo —respondió Gacel.

—Eso ya está mucho mejor —pareció condescender el anciano—. Lo sabes, pero se trata de un secreto. ¿A quién se lo prometiste?

—Tampoco puedo decirlo.

—¡Bien! —admitió el otro poniéndose en pie y recogiendo su bastón dispuesto a marcharse—. Supongo que si se hubiera tratado de algo fácil no me hubieran mandado llamar. —Sonrió y daba la impresión de no encontrarse enfadado, comportándose como alguien que da por concluida una dura jornada de trabajo—. Volveré mañana —concluyó—. Que pases un buen día.

Se alejó con la naturalidad de quien tan sólo ha hecho un leve alto en el camino para admirar el paisaje, y al niño se le antojó el hombre más extraordinario que hubiese conocido, excepción hecha de su abuelo; tal vez así se lo parecía porque se parecía a su abuelo.

Al rato se presentó el *Gurriato* que llevaba todo el día encerrado en su taller tallando la figura de un ciervo a tamaño natural, y en cuyo hombro aparecía posado ahora un pequeño mirlo que ocupaba el lugar que solía ocupar el viejo búho.

—María Manuela está bien —murmuró a modo de saludo.

—¿Cómo lo sabes? —replicó el niño.

El gigantón señaló al pajarraco.

—Éste lo dice.

—¿Y a él quién se lo ha dicho?

—Un mirlo de Escombreras.

—¿Y a ese mirlo quién se lo dijo?

—María Manuela. Vive allí.

Escombreras se alzaba a unos cincuenta kilómetros de distancia, tenía fama de ser un poblacho sucio y maloliente, con minas de carbón y gente amargada que solía morir muy joven y que bebía en exceso, por lo que a Gacel le entristeció recordar la sonrisa de María Manuela, que nunca más podría oler a limón en un lugar tan tétrico.

Una vez más se sintió en cierto modo culpable por haber destrozado tantas vidas sin pretenderlo, preguntándose quién era él para obligar a una adorable chiquilla a vivir en un lugar como Escombreras, y quién era él para hacer que tantos equilibrios se hubieran roto y tantos hombres y mujeres perdieran por su causa el rumbo de su existencia.

Si hubiera imaginado que bajándose de los árboles las cosas volverían a su punto de partida, probablemente no hubiera dudado en hacerlo, pero el chiquillo sabía muy bien que ya nada sería como antaño por mucho que quisiera.

María Manuela ya nunca sonreiría como acostumbraba a hacerlo, Bernardo jamás regresaría a cuidar a Catalina, nadie reelegiría a don Genaro para el cargo de alcalde, y Monteoscuro se quedaría para siempre sin el rico pan que tan sólo sabía amasar Primitivo Garmendia.

Con frecuencia se detenía a meditar en el hecho de que resultaba absurdo que el mundo se encontrase tan pésimamente hilvanado que hubiera bastado con que un niño como él hiciera algo que se salía de lo normal, para que todas las costuras de ese mundo se abriesen dejando a la vista una piel sucia y una carne hedionda y putrefacta.

En primer lugar hicieron su aparición los caballos; una docena de los más briosos «pura-sangre» que un buen día saltaron las vallas del picadero para atravesar al galope campos, pueblos, ríos, montañas y nevados páramos, presentándose al fin en las lindes del bosque como si una mano invisible les hubiera ido indicando el camino sin pérdida posible.

Eran caballos nacidos y criados en cautiverio para hacer aún más ricos a sus dueños, pero que de improviso parecían haber elegido la libertad, y aunque a primera vista resultara en cierto modo chocante verlos allí, tampoco cabía sorprenderse en exceso, pues al fin y al cabo un caballo no tiene por qué desentonar en un tranquilo bosque.

Pero una semana más tarde llegaron los elefantes; cuatro enormes elefantes de altivas trompas que barritaban anunciando su presencia, y la de una pareja de jirafas, cinco focas y toda una familia de chimpancés vestidos con chaquetillas azul y oro, puesto que con las prisas ni siquiera habían tenido oportunidad de cambiarse de ropa en el momento de tomar la decisión de huir del «Gran Circo Olimpia» y emprender una nueva vida en un bosque al que jamás llegaban las nieves del invierno, los látigos de los domadores, ni las burlas de los payasos.

Gacel estaba haciendo pis desde una rama a la orilla del río, y si en aquella ocasión no se precipitó de cabeza al agua, ya nunca se caería de parte alguna, pues no es espectáculo al que se pueda asistir muy a menudo el de toda una «troupe» de animales circenses corriendo hacia un bosque que parecía recibirles con los brazos abiertos.

Las focas, que venían montadas sobre los elefantes, se dejaron deslizar al agua en el momento de cruzar el río, y se las advertía tan juguetonas como jamás debieron estarlo anteriormente, al tiempo que los monos chapoteaban en la orilla y las jirafas bebían como si no hubieran probado nunca un agua tan fresca y tan sabrosa.

El estupefacto Benito acudió junto al boquiabierto Gacel, pero el sereno *Gurriato* saludó a los animales como si los estuviera esperando.

—¡Ya están aquí! —gritaba dando saltos—. ¡Ya están aquí!

—¿Sabías que vendrían? —inquirió Benito, sorprendido.

El otro asintió seguro de sí mismo.

—¡Lo sabía!

—¿Quién te lo dijo? —quiso saber Gacel, y como el mozarrón se limitó a señalar con un gesto al viejo búho, no pudo por menos que añadir—: ¿Y a él quién se lo dijo?

—¡«Él» fue a buscarlos! —replicó Ramoncín en tono triunfante—. «Él» los trajo.

Lo único que consiguieron aclarar mucho más tarde fue que había sido el viejo búho —*Serafín* se llamaba— quien revolucionó a los caballos y las bestias del circo, ya que había ido a buscarlos personalmente incitándoles a escoger la libertad y vivir en el bosque.

Por lo que Ramoncín pudo dar a entender entrada ya la noche, el tal *Serafín* era un malhumorado pajarraco estrafalario que odiaba ver a sus congéneres enjaulados, por lo que había desarrollado una especial habilidad para abrir cerraduras con el pico, y como resultaba evidente que el bosque se había visto invadido últimamente por todo un ejército de loros, «canarios» y «periquitos» a los que él había ayudado a escapar durante sus correrías nocturnas, Gacel le hizo notar al *Gurriato* que una cosa eran unas aves que poco consumían, y otra muy diferente jirafas y elefantes.

—Por esta vez pase —señaló—. Pero si se dedica a traer a todos los animales en cautividad de la región, en un mes acabarán con el bosque.

En realidad al chiquillo le encantaba la idea de tener aquellos bichos allí, aunque no podía negar que a quien más feliz hacían era al *Gurriato,* que se entendía con ellos muchísimo mejor de lo que se entendió nunca con nadie, aunque resulte difícil explicar cómo era posible que sin haber visto elefantes más que en televisión, a los tres días ya le hubieran contado la mayor parte de su historia.

Cierto es, eso sí, que poca historia tenían aquellos bichos, puesto que tanto ellos como sus padres habían nacido en cautiverio, por lo que sus recuerdos se limitaban a largas horas de doma, incómodos viajes y una música estruendosa que les aturdía a la hora de hacer su estúpido número de levantar el culo en equilibrio sobre dos patas.

Por todo ello, no resulta extraño que unos animales cuya vida había sido tan triste se volvieran como locos al descubrir que podían bañarse en un río de aguas cristalinas, alzar la trompa y coger los más sabrosos frutos directamente de un árbol, o tumbarse a la sombra a disfrutar de una tranquila siesta sin que nadie les azotase.

Cuando los descubrió, don Constantino Alba-Bermejo se quedó como alelado, con la boca más abierta aún de lo que se le quedaba antaño al mismísimo *Gurriato*, y cabría asegurar que aquella inesperada invasión rompió sus más firmes esquemas, ya que por primera vez debió plantearse —siendo casi un anciano— que había algo en este mundo que escapaba a su capacidad de análisis.

Más que los elefantes o las focas a don Constantino le fascinaron las jirafas, y cuando una de ellas acudió a comer en las manos de Benito, dado que se encontraba sentado en una rama, justo a la altura de su cabeza, se diría que de improviso el magistrado olvidaba cuál era su misión y cuál la estrategia que probablemente había preestablecido, y lo único que pudo hacer fue acariciar una de aquellas largas y fuertes patas para musitar quedamente:

—Es una pena haber tenido que esperar tantos años para asistir a un auténtico milagro.

Benito no podía saber si cuanto ocurría en aquel bosque era o no un milagro ya que era ésa una cuestión que jamás se había planteado, pero lo que sí sabía era que la vida entre aquellos árboles se desarrollaba con tan perfecta paz y tanta armonía, que hasta lo más absurdo acababa por aceptarse como lógico.

Según él, el hecho de que el *Gurriato* hablase con los bichos o tallase figuritas que se dirían dotadas de vida, pese a que fuera incapaz de sumar dos y dos, no debía considerarse en absoluto un contrasentido sino algo más bien natural, puesto que lo antinatural hubiera sido el que un ingeniero mantuviera interminables «conversaciones» con un búho anarquista.

No debe sorprender por tanto que el ex presidente del Tribunal Supremo de Justicia —hombre equilibrado dondequiera que los hubiese— advirtiera aquella misma mañana que al sólido edificio de sus convicciones comenzaban a fallarle los cimientos, y que su incontestable sabiduría —que era mucha— no constituyese más que una pirámide de ignorancia comparada con la fascinante capacidad que tenía un retardado mental como el *Gurriato*, de entender la obra del Creador y a sus maravillosas criaturas.

—Cambiaría cuanto sé sobre estúpidas leyes humanas —confesó en cierta ocasión— por la décima parte de lo que sabe Ramoncín sobre la auténtica naturaleza de las cosas.

Es muy posible que don Constantino Alba-Bermejo hubiera dado de igual modo la mitad de lo que le quedaba de vida —que en aquel tiempo ya no era mucho— por conseguir el don de hablar con una jirafa, y aunque es más que probable que las jirafas no tuvieran gran cosa que decirle, es de esperar que hubiera aprendido mucho más en una sola de tales charlas que en diez años de estudiar legajos y documentos.

Elucubraciones aparte, lo cierto es que entre jirafas, elefantes, focas y chimpancés don Constantino perdió en buena parte el rumbo de sus investigaciones, pues resultaba evidente que aquellas bestias constituían una clase muy especial de testigos a los que jamás se había enfrentado con anterioridad.

—Cuanto aquí sucede es obra del Señor —admitió una tarde mientras contemplaba cómo los elefantes jugaban con las focas en el río al tiempo que un par de aguiluchos remontaban el vuelo—. Y por muy presidente del Tribunal Supremo que haya sido, no soy quién para juzgar a Dios. Si ha decidido cambiar por una vez sus leyes, «Él» es la ley.

Gacel no se encontraba en libertad de responder que no era Dios —sino la propia Tierra— quien había trastocado a su capricho la naturaleza de las cosas, aunque sería conveniente reconocer que en aquel tiempo el chicuelo tampoco se encontraba en óptima disposición para discernir de quién partía tal decisión exactamente.

Se hacía necesario tener muy presente que para un niño el mundo es siempre según lo va conociendo, de tal modo que si ha nacido en un paisaje pintado de amarillo en el que los conejos vuelan y la luna brilla todas las noches, el auténtico desconcierto llegará cuando las cosas no sucedan de ese modo.

Tanto a Benito como a Gacel los fenómenos más asombrosos acababan por antojárseles en cierto modo cotidianos, e incluso lo mismo le ocurría a un Ramoncín, cuyo nivel intelectual era aún menor que el de los pequeños, pero no cabía por menos que admitir que para el pobre don Constantino Alba-Bermejo, la avalancha de nuevas sensaciones llegaba a ser tan avasa-

lladora que en cierto modo a punto estuvo de desequi-
librarse emocionalmente.

—Cuando murió mi esposa y me jubilé —llegó a
decir—, me hice a la idea de que lo único que me quedaba por hacer era esperar el fin con dignidad. Sin
embargo —añadió—, en apenas cinco días he aprendido más que en los últimos cincuenta años.

—¿Y eso le desagrada? —quiso saber Benito.

—Me fascina —replicó entusiasmado.

Una semana más tarde le pidió a doña Alicia que le
trajera su ropa de la pensión y ya no volvió a poner los
pies en el pueblo, instalándose en la cabaña del viejo
Arcadio a la que tan sólo se retiraba para dormir, pues
el resto del día, del alba al oscurecer, lo empleaba en
recorrer el bosque, hablar con los chicos o pasarse largas horas escuchando las absurdas discusiones del
Gurriato y sus alados «amigos».

Catalina le limpiaba la casa, le lavaba la ropa y le
preparaba la comida, y la maestra acudía casi todas
las tardes a traerle la prensa y comentarle cómo andaban las cosas «por el mundo exterior».

Monteoscuro se había quedado desierto, y los pocos vecinos que aún no se habían marchado apenas
intercambiaban media docena de palabras, puesto que
el miedo a verse obligados a decir algo que degenerara
en trifulca se había convertido en una obsesión de la
que muy pocos se libraban.

Todo estaba a la venta en un lugar paradisíaco en
el que la temperatura no bajaba de los veintidós grados en pleno diciembre, pero ningún forastero se atrevía a comprar una casa sabiendo que tendría como
única vecina a la verdad, y es que la verdad es

como esas viejas abuelas a las que sus nietos aseguran amar y respetar, pero que siempre prefieren que vivan con otro.

Quien sí hizo su aparición pocos días más tarde en Monteoscuro fue el mismísimo Ryan Nelson en persona; un escocés pelirrojo, iracundo, sudoroso y patilludo que no se mostraba en absoluto de acuerdo con la idea de que una docena de sus más valiosos animales hubiesen tomado la decisión de cambiar las pistas de un circo por la paz de un bosque.

La huida de sus elefantes, focas, jirafas y chimpancés estaba a punto de llevarle a la ruina, y en cuanto tuvo noticias de cuál había sido su punto de destino, se presentó en Monteoscuro con la sana intención de pedirle a las autoridades que le ayudasen a recuperar aquello que a su entender le pertenecía.

Su primera sorpresa fue descubrir que en aquel pueblo embrujado ya no existía autoridad alguna a la que recurrir, ni nadie dispuesto a ayudarle.

Hizo varias llamadas a la capital pero no consiguió más que evasivas, ya que todo cuanto se relacionase con Monteoscuro producía un rechazo instintivo y ningún funcionario estaba dispuesto a aceptar responsabilidades que en principio no les correspondían. El Ministerio de Interior le pasó la gestión al de Agricultura, éste la remitió a Asuntos Exteriores —ya que se trataba de un súbdito extranjero— y Exteriores dictaminó que el tema pertenecía a Cultura en su sección de espectáculos, por lo que debía ser Cultura el que se encargara de perseguir a los animales.

Como resulta lógico imaginar, visto como suele funcionar la administración en casi todos los países, el desesperado Ryan Nelson —que había llegado a un punto en que echaba espumarajos por la boca— decidió arreglárselas con la ayuda del personal del circo y unos cuantos cazadores a los que pareció fascinar la idea de perseguir elefantes, jirafas, focas y chimpancés, aunque tan sólo fuese para dispararles con dardos que les obligaran a dormir.

Cuando ya estaban a punto de iniciar la batida, el desconsolado propietario de la «Cuadra Acueducto» —un marqués muy rico y muy afeminado— decidió ofrecer una generosa recompensa por cada caballo que consiguieran devolverle, lo cual animó aún más a los «cazadores», e incluso al propio Nelson, que vio en la posible captura de aquellos extraordinarios «pura-sangre» una forma aceptable de compensar las pérdidas que había sufrido hasta el momento.

Como buen escocés, el director del circo no era hombre al que le agradara correr riesgos innecesarios, y al tener noticias de los extraños fenómenos que solían acontecer en Monteoscuro, decidió tomar toda clase de precauciones antes de lanzarse al «asalto» de un bosque del que se podía esperar cualquier sorpresa.

Consiguió una docena de los mejores perros rastreadores y proporcionó a su gente un sofisticado equipo en el que se incluían máscaras antigás y unos curiosos pararrayos portátiles, con lo que llegó un momento en que pudo asegurar, plenamente convencido, que a no ser que los árboles comenzaran a disparar cañonazos no veía forma alguna de que les detuviesen.

Por último dio orden de que nadie pronunciase una palabra que no fuese absolutamente imprescindible, y rodeando por completo el amplio perímetro del bosque hizo que sus huestes avanzaran al unísono desplegándose desde los cuatro puntos cardinales.

Como organización fue algo perfecto, y de igual modo debe reconocerse que su intención no era otra que recuperar unas bestias que según la ley eran suyas, haciendo hincapié en el hecho de que debía respetarse escrupulosamente el entorno ambiental.

—Está en su derecho —se vio obligado a admitir don Constantino Alba-Bermejo—. Y aunque me entristecerá que se lleven a las jirafas, moralmente no tenemos argumentos para impedírselo.

—No se las llevarán —sentenció el *Gurriato* seguro de sí mismo.

—¿Cómo lo sabes? —inquirió Gacel por enésima vez, y en cierto modo molesto por el hecho de que sus noticias fuesen siempre fidedignas.

—Algo sucederá —fue la respuesta, y por más vueltas que le dio a la cabeza a Gacel no se le ocurrió cómo demonios podrían arreglárselas caballos, monos, jirafas y elefantes para escapar a la bien montada trampa que les habían tendido.

Seguido de cerca por Benito, trepó a la copa del roble tratando de observar lo que ocurría, pero como suele suceder, «los árboles les impidieron ver el bosque» y como tenían que contentarse con escuchar los ladridos de los perros, el barritar de los elefantes y los agudos gritos de las focas, optaron por descender hasta un punto desde el que se dominaba un amplio claro, aguardando la llegada de los «cazadores».

Media hora más tarde hicieron su aparición cinco individuos que seguían a rajatabla las instrucciones del escocés, avanzando en silencio, sujetando a los perros, y atentos a cuanto se movía a su alrededor sin realizar un solo gesto innecesario.

Todos permanecían en tensión, y pese a que no hacía un excesivo calor, hasta los árboles sudaban.

Ésa es sin duda la palabra justa, «sudaban», pues aunque fuera aquél un fenómeno que nadie había observado con anterioridad, pronto cayeron en la cuenta de que rezumaban una especie de resina incolora que comenzó a resbalar lentamente por los troncos y las ramas más bajas.

Fue entonces cuando uno de los «cazadores» se recostó contra un castaño y quedó atrapado.

Fue como si le hubiesen aplicado una capa de cemento rápido cuyo simple contacto le dejó clavado al árbol de tal forma que, cuando quiso apartarse, perdió en el intento parte de la camisa y la pernera de los pantalones.

Lo peor fue que para hacer fuerzas apoyó una mano en el tronco, y cuando se la llevó inadvertidamente al muslo se le quedó allí, sin poder despegarla hasta el punto de que a partir de aquel momento se vio obligado a caminar inclinado, cojeando y casi a saltos.

Uno de sus compañeros acudió de inmediato en su ayuda, pero al hacerlo pisó una hoja seca sobre la que había caído una gota de aquella extraña resina que quedó adherida a la suela de su bota, a esa hoja se sumó otra, luego otra, y a los cinco minutos hombres y perros avanzaban arrastrando consigo kilos y más kilos de hojarasca, en un espectáculo tan cómico que Benito y Gacel tuvieron que abrazarse para no caerse de risa.

Cuando los perros trataron de quitarse las hojas de las patas, lo único que obtuvieron fue que los dientes de arriba se les pegaran con los de abajo, y daba pena observar sus esfuerzos por ladrar sin conseguir abrir la boca mientras sus dueños aparecían con las manos adheridas a la cabeza, el cuello o cualquier otra parte del cuerpo de tal forma que a los pocos minutos se arrastraban envueltos en tal cantidad de hojas secas que hubo un momento en que lo único que se distinguía de ellos era un informe montón de maleza del que surgían llantos, gritos guturales y llamadas de auxilio.

Tardaron horas en regresar al pueblo, y pasaron días antes de que consiguieran recuperar una cierta apariencia humana, lo cual no es óbice para que la mayoría perdieran en la aventura anchos trozos de piel, grandes mechones de cabello, alguna que otra uña, e incluso las pestañas, ya que parece ser que tres de ellos permanecieron quince días sin conseguir alzar uno de los párpados.

A los quince minutos de su marcha el bosque recuperó no obstante su aspecto habitual, los árboles dejaron de «sudar», la transparente resina se secó perdiendo sus extrañas propiedades, y los animales surgieron de sus escondites sin que en apariencia hubieran sufrido daño alguno.

El ex presidente del Tribunal Supremo de Justicia no daba una vez más crédito a sus ojos, más feliz que un chiquillo con un nuevo juguete, y lo primero que hizo fue correr a cerciorarse de que su jirafa predilecta se encontraba en perfectas condiciones.

—¿Qué explicación piensa dar de todo esto en su informe? —quiso saber Gacel cuando al fin regresó a tomar asiento en su curioso bastón al pie del roble.

—¿Explicación? —repitió como si le costara un gran esfuerzo entender sus palabras—. Ninguna. Me he pasado la vida intentando encontrar la explicación a todo, y empiezo a descubrir que lo único que merece la pena es aquello que resulta por completo inexplicable.

—No creo que semejante respuesta le guste al Presidente —replicó el niño.

—En el fondo al Presidente le importan un rábano mis conclusiones —fue su descarnada respuesta—. Al contrario de lo que suele suceder en las películas, éste no es año de elecciones, y para cuando se convoquen, cuanto haya ocurrido en Monteoscuro será agua pasada que no moverá el molino de unos votos que son a la postre los únicos que importan.

A Gacel le hubiera encantado aclararle que en cuanto llegase la primavera al «mundo exterior» y las mariposas amarillas abandonasen su cálido refugio de Monteoscuro para desperdigarse en todas direcciones y propagar la plaga de sinceridad por el resto de la nación e incluso de los países limítrofes, las cosas se le iban a poner harto difíciles no sólo al Presidente, sino a todos los seres humanos en general, pero como había prometido no desvelar tan bien guardado secreto, optó por cambiar de tema fingiendo interesarse por una pareja de águilas reales que desde su mismo nido supervisaban el ya casi perfecto vuelo de dos crías.

—Con su llegada empezó todo —señaló—. Y aún me cuesta creer que apenas hayan pasado ocho meses desde que las vi aparecer. A veces tengo la impresión de que ha transcurrido toda una vida.

—El tiempo ofrece a menudo tales contradicciones —replicó el magistrado con notable sencillez—. Y así será mientras no se invente un reloj capaz de medir cuán largo puede llegar a ser un minuto de agonía, y cuán corto un año de felicidad.

La frustrada «cacería» de elefantes y las historias que relataron sus desgraciados protagonistas, atrajo de nuevo una desmedida atención sobre Monteoscuro, y la maestra —que era ya casi la única persona que seguía teniendo televisión en el pueblo— comentó a los pocos vecinos que quedaban que el canal nacional había dedicado un amplio comentario al bosque y sus «misterios».

Algunos periodistas ofrecieron dinero a Catalina a cambio de alguna información sobre el «pasado» de Gacel, pero aunque cierto es que la pobre mujer andaba más que necesitada y cualquier ingreso le hubiera significado una gran ayuda, se limitó a responder que si querían saber algo sobre su hijo fueran a preguntárselo al bosque.

Nadie se atrevió, y se dio el caso de que arriesgados reporteros que no habían dudado a la hora de jugarse la vida en sanguinarias guerras o absurdas aventuras, se resistieron a atravesar la pequeña frontera natural que significaba el río para internarse en la densa espesura.

Y es que intentar encontrar a Gacel en la rama alta

de un árbol si él no quería que lo encontraran, significaba tanto como buscar una aguja en un pajar, y la
mayoría de los periodistas estaban conscientes de que
en el interior de aquella inquietante floresta ocurrían
cosas que escapaban a todo control e incluso a toda
capacidad de entendimiento.

Se limitaron por tanto a esperar con infinita paciencia, confiando en que don Constantino Alba-Bermejo decidiera dar señales de vida o emitir un comunicado oficial
sobre lo que —según su autorizado criterio— estaba
ocurriendo, aunque muy pronto se convencieron de que
el viejo magistrado no tenía la más mínima intención de
dar comunicados, y su desconcertante mutismo llegó a
tales extremos que al fin el mismísimo Presidente le
«exigió» un amplio informe o su inmediato regreso a
la capital.

Ese día Gacel tuvo la casi intangible impresión de
que semejante llamada de atención afectaba muy negativamente a alguien que parecía haber olvidado por
completo cuanto se relacionase con su vida anterior.

—Está bien —aceptó por último don Constantino
tras discutirlo largamente con la maestra y meditarlo
toda una noche—. Enviaré ese informe.

Decía así:

«Estimado Señor Presidente:»

Ni una palabra más, ni tan siquiera una letra, pues
el ex presidente del Tribunal Supremo de Justicia, le-
trado de brillantísima trayectoria intelectual, famoso
en otro tiempo por la precisión de sus alegatos, había
perdido toda capacidad de expresar sus ideas, y no encontraba forma alguna de transmitir a la máxima autoridad de la nación, qué era lo que a su modo de ver

estaba ocurriendo en aquel absurdo lugar llamado Monteoscuro.

—Es como si la mente se me hubiera quedado en blanco —le confesó a Catalina una mañana en que la buena mujer le preparaba el desayuno—. Y no me importa un pimiento. Me he pasado la vida exprimiéndome el cerebro por motivos que no valían la pena, y de pronto descubro que me siento feliz por no poder explicar lo inexplicable.

—¿Y qué piensa hacer ahora?

—Pedirle al *Gurriato* que me enseñe a hablar con los pájaros.

Era cosa digna de ver el observarle, con su traje gris, su cabello blanco y su porte erguido y aristocrático, sentado muy recto en aquella absurda «silla-bastón», y aplicado a la tarea de soplar un reclamo en forma de «herrerillo-capuchino» que Ramoncín le había tallado, tan atento a cada sonido y sus respuestas como si de ello dependieran su vida y su futuro.

Benito y Gacel espiaban desde lo alto del roble cómo el *Gurriato* le reñía por su torpeza, tratando de entender las razones por las que uno de los hombres más cultos e inteligentes del país se mostraba tan sumiso frente a uno de los más intelectualmente limitados.

—¿Por qué se lo permite? —quiso saber Gacel.

Benito, que al igual que el búho *Serafín* no solía perder detalle de cuanto ocurría su alrededor, dio la única respuesta válida posible:

—Porque él sabe quién es el que sabe.

Don Constantino Alba-Bermejo jamás volvió a acordarse del maldito informe, y el hecho de que uno de los hombres en quien más confiaba le fallara estrepitosamente acabó por obligar al propio Presidente a replantearse aquel espinoso tema e intentar tomar cartas en el asunto personalmente.

—Quiero ver ese bosque con mis propios ojos —dijo—. Que preparen un helicóptero.

El día era muy frío, pero claro, sin una nube, ni un soplo de viento que pusiera un peligro la estabilidad del aparato; un día en verdad perfecto para volar y en el que los habitantes del bosque pudieron distinguir con claridad el blanco aparato cruzando una y otra vez sobre sus cabezas.

Iba y venía de un lado a otro; del Norte al Sur y del Este al Oeste, como si buscara algo, y por lo que se supo más tarde en verdad lo buscaba, ya que parece ser que al llegar a la altura de Torresnegras —allí donde la carretera comenzaba a serpentear hacia Monteoscuro— se encontró de improviso sobrevolando Escombreras, que según los mapas debía encontrarse a más de setenta kilómetros de distancia de aquel punto.

Giró en redondo, enfilando directamente hacia los límites de la provincia que constituían al propio tiempo los límites del bosque, y en lugar de distinguir árboles se enfrentó de nuevo a la inconfundible arquitectura de Torresnegras con sus ruinosas fortalezas que hablaban de un difícil pasado de guerras fronterizas.

Era como si por arte de magia todo un bosque, un pueblo, y más de veinte kilómetros de río hubiesen desaparecido de la faz de la tierra.

Al piloto comenzaron a sudarle las manos y al Presidente, las ideas.

Subieron hacia el Norte; hacia los páramos y el nacimiento de las nevadas montañas que allí seguían, altivas e impertérritas, y descendieron luego por el Sur hasta el punto en que la gran llanura se despereza en busca de los arrabales de la capital.

Según los mapas, justo en medio debía encontrarse el bosque, pero no se encontraba.

¿Cómo se entendía que desde abajo los estuvieran viendo, pero ellos no fueran capaces de avistar un millón de árboles bajo sus mismos pies?

Ésa es otra de las muchas preguntas de aquel tiempo para las que jamás se encontró respuesta, pero lo cierto es que el Presidente no pudo ver cumplido su deseo de conocer el bosque ni aun desde quinientos metros de altura, por lo que cuando al fin comenzó a escasear el combustible y un lívido y avergonzado piloto pidió nuevas instrucciones, se limitó a rogarle que le devolviera a la capital.

Para él aquella historia había acabado.

La mayoría de los seres humanos —especialmente los políticos— cuando se enfrentan a un problema que no consiguen resolver optan por fingir que tal problema no existe, y tras su decepcionante expedición el Presidente debió llegar a la conclusión de que, en efecto, Monteoscuro y su bosque «no existían».

Tanto si se trataba de una mala pasada de su imaginación, como de una jugarreta de «fuerzas sobrenaturales» o de la astuta trampa de unos sempiternos intrigantes que pretendían hacerle pasar por loco ante el electorado, la única solución que se le antojó válida fue el silencio, por lo que al parecer ordenó a sus asesores que no volvieran a hacer mención de Monteoscuro y su bosque bajo ninguna circunstancia.

—Si se tragó a alguien como Constantino Alba-Bermejo, con mayor razón puede tragarme a mí —debió pensar—. Así que lo mejor es olvidar todo este asunto.

Y en verdad lo olvidó —o al menos fingió olvidarlo— y como sabido es que los buenos gobernantes acaban por creerse sus propios fingimientos, Monteoscuro y su bosque dejaron de existir «oficialmente».

No obstante, alguien de su séquito debió irse de la lengua, circuló el rumor de que un gigantesco bosque y todo un pueblo habían desaparecido de forma harto misteriosa de la faz de la Tierra, y aquél fue el detonante que hizo que alguno de los incontables enemigos de Gacel recordase que su abuelo había sido considerado en un tiempo como una especie de hechicero, y el niño debía ser por tanto un auténtico discípulo del diablo.

Por desgracia aún hay gente que cree en esas cosas; aún hay quien prefiere atribuir a la intervención de fuerzas oscuras todo cuanto está más allá de sus entendederas, y aún hay locos que aguardan la llegada de un «Anticristo» que venga a sumir al mundo en las tinieblas.

A todo ello se añadió la circunstancia de que se aproximaba el final del milenio, y como parece ser que al final de todos los milenios la cosecha de lunáticos se multiplica de forma harto alarmante, una mañana comenzaron a hacer su aparición en Monteoscuro una serie de histéricos esotéricos que establecieron su campamento en el antiguo melonar del Cipriano, justo a la orilla del río.

Se consideraban a sí mismos siervos de Lucifer, representantes de todos los estamentos sociales del país, a los que la «Gran Sacerdotisa Morgana» —una gorda grasienta que hasta tres años antes regentaba un «videoclub» en un barrio periférico de la capital— había convocado para rendir un fastuoso homenaje la próxima noche de luna nueva al joven enviado de Satanás.

Parece ser que la «Gran Sacerdotisa Morgana» se llamaba en realidad Gregoria Cantalapiedra, pero de lo que nadie ha estado nunca muy seguro es de si todo cuanto predicaba era pura patraña, o creía sinceramente en los poderes del averno.

Lo único cierto es que allí vinieron a reunirse unos treinta hombres y mujeres que se pasaban el día durmiendo y las noches velando en torno a una hoguera, aguardando el momento propicio de montar su horrendo «aquelarre».

Sin que se sepan las verdaderas causas, aunque tal vez fueran puramente gastronómicas, dejaron el pueblo sin perros y sin gatos —que eran ya casi los únicos bichos vivientes que quedaban—, se pasaron innumerables horas salmodiando incomprensibles letanías en el misterioso lenguaje de los abismos infernales, y aterrorizaron a los lugareños a base de pintar la mayoría de los muros con extraños signos cabalísticos, prestando una especial atención a la vieja casa de Gacel.

—Pídeles que se vayan —le suplicó Catalina, a la que todo aquello producía escalofríos—. A ti te escucharán.

—Lo último que se me ocurriría en este mundo es presentarme delante de semejante cuerda de cretinos —replicó el chiquillo seguro de lo que decía—. Lo mejor que puedes hacer es quedarte en la cabaña del abuelo y esperar a que se aburran y se larguen.

—No se irán y tengo miedo de que vengan a buscarte.

—¡Olvídalo! —señaló Gacel con firmeza—. Por muy «pirados» que estén jamás se atreverán a poner el pie en el bosque.

—Los elefantes están dispuestos a echarlos —hizo notar amablemente el *Gurriato*—. No les gusta como cantan.

—Veamos qué es lo que ocurre —fue la respuesta—. Mañana hay luna nueva.

Don Constantino no se mostraba partidario de permitir que aquellos imbéciles pusieran en práctica sus ritos, pero al fin accedió a ello con la condición de que bajo ningún concepto se les permitiera aproximarse a las lindes del bosque, por lo que al día siguiente Gacel se limitó a observar con ayuda de los prismáticos cómo limpiaban y habilitaban una gran explanada circular que rodearon de crespones negros, acumulando en el centro gran cantidad de leña y clavando una gruesa estaca a la que ataron un enorme macho cabrío de larga barba y grandes ojos inyectados en sangre.

—No me gusta esto —le hizo notar Benito visiblemente inquieto—. No me gusta un pelo.

Al chiquillo tampoco le gustaba y a medida que pasaban las horas comenzaba a arrepentirse de no haber aceptado la oferta del *Gurriato*, ya que hubiera constituido un magnífico espectáculo contemplar cómo irrumpían en el campamento cuatro enormes elefantes que a patadas y trompazos hubieran puesto en rápida fuga a aquella absurda banda de lunáticos.

¿O se les debía considerar más bien «anti-lunáticos», visto que aguardaban la llegada de una noche tenebrosa?

Fueran lo que fueran impresionaban y el niño advirtió como una especie de invisible mano helada le atenazaba más y más la garganta a medida que aumentaba la oscuridad y la dantesca ceremonia iba ganando en tensión e intensidad.

Los concelebrantes cenaron en abundancia y lo hicieron largamente y con un ceremonial que apabullaba, sentados en torno a la «Gran Sacerdotisa» en una imagen que parodiaba en cierto modo lo que debió ser dos mil años atrás «la Última Cena».

—Ganas me dan de caerles a palos —masculló el ex presidente del Tribunal Supremo de Justicia—. Tendrían que encerrar a toda esa chusma.

—¿Es delito lo que hacen? —quiso saber Benito.

—Es una indignidad y una tremenda falta de respeto.

Tras la cena todos comenzaron a bailar girando alrededor del macho cabrío y cuando faltaban tan sólo unos minutos para la medianoche, la tal «Morgana» trepó a una especie de pedestal para invocar a gritos al «Temible Señor de las Tinieblas».

Era una escena en verdad escalofriante, sobre todo teniendo en cuenta que de tanto en tanto los oficiantes se volvían hacia el bosque inclinándose al unísono como si le dedicaran a Gacel aquella absurda ceremonia y el niño fuera el verdadero destinatario del sangriento sacrificio que sin duda se avecinaba.

El atemorizado mocoso buscó en su memoria olvidadas oraciones que pudieran ser útiles para alejar el mal impidiendo que se apoderara de su alma, pero advirtió que de pronto —y en lo que debía constituir el momento cumbre del complejo ritual— se produjo una feroz desbandada y la mayoría de los bailarines se alzaron las faldas de las negras túnicas acuclillándose de forma harto sorprendente.

—¿Qué hacen? —quiso saber don Constantino, a todas luces desconcertado.

—No tengo ni idea —replicó Gacel.

«La Gran Sacerdotisa Morgana» observó furiosa a sus seguidores, fue a ordenar algo, pero un rictus de horror cruzó su rostro desfigurado por las sombras de la hoguera, y al instante se recogió de igual modo la túnica acuclillándose en lo alto del pedestal.

—¿Pero qué hacen? —insistió don Constantino Alba-Bermejo cada vez más confuso.

—¡Cagan! —replicó muy serio el *Gurriato*.

—¿Cagan...? —repitió el anciano en el colmo de la incredulidad.

—¡Hasta el alma! —corroboró Benito seguro de sí mismo—. ¡Hasta aquí llega el olor!

Así era en efecto, pues la insoportable pestilencia que producían más de treinta personas abonando con inusitado entusiasmo el melonar del Cipriano, atravesaba el río en alas de una suave brisa del Noroeste, que de igual modo transportaba los desgarradores lamentos de unos pobres desgraciados que parecían estar padeciendo todos los males del infierno víctimas de una feroz diarrea que amenazaba con arrancarles las entrañas.

La gorda «Morgana» era la que más se quejaba.

Qué diantres habían cenado es algo que jamás nadie se molestó en averiguar —tal vez perros o gatos del pueblo—, pero debió ser algo en verdad harto indigesto, puesto que aunque de tanto en tanto alguno de ellos hacía un esfuerzo intentando levantarse, de inmediato volvía a acuclillarse y de inmediato comenzaba a gemir del modo más lastimoso que quepa imaginar.

El alba les dio con el culo al aire.

El alba; la claridad del día, y como resulta indiscutible que ocho horas en cuclillas son muchas horas incluso para un siervo de Satanás en pleno trance, a nadie sorprenderá que aquella mañana el sol iluminara el más sucio, pestilente y miserable grupo de seres humanos que hasta el momento había iluminado.

Se alejaron a gatas, sin atreverse a mirarse los unos a los otros, hasta que a media mañana en el melonar del Cipriano no quedó ya más que un macho cabrío atado a una estaca que masticaba pensativo la negra túnica de una gorda sudorosa que roncaba en lo alto de un pedestal cubierto de signos cabalísticos.

A menudo se ha oído hablar de una infección de «salmonela» en una boda o un bautizo, pero que se sepa, aquélla debió ser la primera vez que se desencadenó en pleno «aquelarre».

De lo mucho y muy diverso que ocurrió en aquel tiempo —y que a decir verdad fue demasiado— una de las cosas que más tristeza le produjeron a Gacel fue el tener que despedirse de doña Alicia cuando ésta se presentó a comunicarle que se marchaba a cuidar niños a África.

Mostró una serie de fotografías de esqueléticas criaturas que estaban muriendo al ritmo de una cada minuto tan sólo en Somalia, y el chiquillo aceptó de inmediato las razones de alguien que había demostrado siempre un profundo amor hacia los más pequeños pero a la que las circunstancias no habían permitido dar una salida natural a toda la bondad y el ansia de sacrificio que llevaba dentro.

—Cuando llegué a Monteoscuro —confesó doña Alicia— me ilusionaba la idea de conseguir que los hijos de los *Gorrinos* y los *Berzotas* aprendieran a convivir, anhelando que mi escuela se convirtiese en un ejemplo de lo que debía ser un pueblo de armonía, pero el tiempo me demostró que aquel intento fue —nunca mejor dicho— tanto como echar margaritas a los cerdos. Si un hermoso pueblo que lo tenía todo para ser feliz ha llegado al extremo que ha llegado por culpa de odios insensatos y una absoluta falta de solidaridad y comprensión, lo mejor que puedo hacer es dedicar mis esfuerzos a los que nada tienen, puesto que aunque al final descubra que allí también resultó inútil, me consolará saber que se trató de una inutilidad justificada.

A su edad a Gacel no le resultó tarea fácil llegar al fondo de cuanto su maestra pretendía dar a entender, quizá debido a que sus razonamientos eran demasiado sutiles, pero le bastaba con conocerla y con contemplar aquellas fotos de cadáveres vivientes, para admitir que su infinita capacidad de amar encontraría un campo mucho más abonado en los abrasados desiertos de Somalia que en los verdes bosques de Monteoscuro.

Lo que sí resulta destacable es el hecho de que aquél fue el primer día en que Gacel tomó clara conciencia de lo que significaba la auténtica «INJUSTICIA» con mayúsculas; una injusticia que iba mucho más allá de los egoísmos lógicos de la especie humana, puesto que abarcaba también el ámbito de la propia Naturaleza. El pequeño consideraba de todo punto irracional que aquel solitario bosque semiabandonado fuera capaz de dar frutos con los que alimentar a cientos de personas, mientras que en extensas regiones de África el viento y la sequía mataran cada año millones de criaturas inocentes.

¿Por qué? ¿Por qué esa abismal diferencia entre los destinos de los seres humanos?

Doña Alicia —cuyo recuerdo guardó durante años como uno de los más preciados tesoros de su infancia— le señaló durante aquel último día en que estuvieron juntos, que de poco servía echarle la culpa a nada ni a nadie por cuanto ocurría sobre la superficie del planeta, ya que la única solución posible era aceptarlo con resignación y tratar de ayudar en la medida de las fuerzas de cada cual.

—El día que vayas a morir —le dijo a modo de despedida—, lo que debe importarte no es a cuánta gente ayudaste, sino a cuánta intentaste ayudar.

Siempre estuvo convencido de que, en efecto, cuando doña Alicia se presentara ante su Creador y Éste tuviera que recompensarle por su labor, no lo haría según la cantidad de negritos que hubiera conseguido salvar de la muerte, sino por la magnitud del esfuerzo que hubiera hecho por salvarlos.

Y es que —como doña Alicia solía decir— únicamente los hombres acostumbran a valorar más el resultado de un esfuerzo que el esfuerzo en sí mismo.

Don Constantino Alba-Bermejo, al que también pareció afectar hondamente la marcha de la única persona que le mantenía en contacto con un mundo exterior que no obstante cada día le importaba menos, no dudó sin embargo a la hora de proporcionarle cartas de recomendación que le facilitaran la tarea que se había impuesto, y cuando al fin la vio alejarse por la orilla del río para no volver nunca, alzó la cabeza hacia donde el niño se encontraba y señaló con intención:

—Supongo que en Somalia no encontrará mariposas amarillas. Allí la única verdad que cuenta es el hambre.

—¿Qué quiere decir? —se alarmó Gacel.

El magistrado pareció atravesarle con su azul mirada transparente.

—Quiero decir que aunque tengas la impresión de

que me he vuelto un viejo «chocho» que tan sólo piensa en hablar con los pájaros, aún me fijo en las cosas —replicó—. Son las mariposas, ¿no es cierto?

Había mariposas amarillas cerca, y por lo tanto al niño no le quedaba opción para mentir.

—¿Cómo lo ha averiguado? —inquirió.

—Porque me inquieta su presencia, y tú las rehuyes —fue la respuesta—. Les tienes miedo, y al preguntarme la razón por la que te atemorizan unos seres tan inofensivos, he llegado a la conclusión de que lo que en realidad te asusta es la verdad.

Gacel se sintió en cierta forma liberado por el hecho de tener con quien compartir tan difícil secreto, pero fue el propio magistrado quien le obligó a reparar una vez más en el peligro que significarían aquellas mariposas si con la llegada del buen tiempo escapaban de los límites del bosque.

—El enfrentamiento que se produjo en Monteoscuro no será más que una ridícula muestra de lo que ocurrirá cuando países que se odian desde hace siglos olviden la diplomacia —dijo—. El mundo se ha convertido en un polvorín y esas mariposas llevan fuego en las alas. No puedes permitir que se prive a un ser humano de elegir entre la verdad y la mentira, ya que eso significaría tanto como privarle de su libre albedrío y condenarle a ser una bestia irracional incapaz de distinguir el bien del mal.

En tales dudas y preocupaciones habían puesto al chiquillo —a todas luces excesivas para su edad y sus conocimientos— cuando una mañana el *Gurriato* vino a comunicarle que según el más viejo de los elefantes —un animal muy dado a estirar las patas en largos paseos que le llevaban a los confines del bosque— un hombre que parecía atontado y que se llevó un susto de muerte al toparse de frente con un enorme paquidermo, se encontraba perdido en la parte norte, la más agreste y enrevesada del bosque; aquella en la que se durmieron tiempo atrás los soldados.

Como al día siguiente el búho *Serafín* voló hasta allí y regresó aseverando que el pobre tipo seguía vagando sin acertar con la salida, el niño tomó la decisión de acudir en su ayuda, y a media tarde descubrió al intruso sentado en un tronco, pálido, tembloroso y cubierto de barro.

—¿Qué le ocurre? —fue lo primero que preguntó acomodándose justo sobre su cabeza.

El otro tardó en reaccionar, miró a todos lados buscando de dónde había surgido aquella voz, y por último lanzó un resoplido como si desechara un mal pensamiento, y aquella pregunta no fuera más que el amargo fruto de sus horrendas alucinaciones.

—¡Eh, oiga! —insistió Gacel— ¡Estoy aquí!

El desconocido alzó unos ojos empañados en lágrimas que parecían devorados por la fiebre, y le miró como si le costara aceptar que existía.

—¿Qué haces aquí? —musitó.

—Vivo aquí.

—¡Ahí! —se asombró—. ¡Ah, sí! —añadió al poco—. He oído hablar de ti. ¡Gracias a Dios! —casi sollozó—. Creí que moriría aquí dentro sin encontrar a nadie.

—¿Se ha perdido? —preguntó el pequeño de forma harto estúpida.

El hombre le miró como hubiera mirado a un mongólico.

—¿Acaso crees que me gusta pasarme cuatro días comiendo bellotas, bebiendo en los charcos y durmiendo al raso? —inquirió.

Tenía un aspecto en verdad deplorable, pero lo que más contribuía a ello era el hecho de que se trataba de un hombre de ciudad que vestía un elegante traje de alpaca que se había convertido en una especie de bayeta de taberna, lucía una corbata de seda roja con rayas azules, y se aferraba con fuerza a un negro maletín del que se diría que dependía su salvación eterna.

—No —admitió Gacel avergonzado—. Supongo que no le gusta, pero es que salir de este bosque no es difícil. Basta con caminar en la misma dirección durante unos veinte kilómetros.

—¿Qué dirección? —inquirió el extraviado.

—¡Cualquiera! —replicó el niño—. Desde aquí el camino más corto debe ser hacia el Nordeste, y a buen paso en no más de dos horas estará en la autopista.

—De allí vengo —señaló su interlocutor—. Encontré un desvío, luego otro, luego un tercero, y cuando quise darme cuenta anochecía y el coche se había hundido en el barro. Intenté regresar a pie pero en la oscuridad no hallé el camino.

—Pues este bosque no es tan grande.

—Supongo que lo único que he hecho ha sido dar vueltas —reconoció el otro—. Aunque no es un bosque corriente —añadió—. He visto jirafas, elefantes y monos con chaleco. Incluso he visto un búho que se me queda mirando y se ríe.

—Debe ser *Serafín* —fue la respuesta—. A veces también se ríe de mí.

—Si me ayudas a salir de aquí te pagaré muy bien

—indicó el tipo de la ciudad al tiempo que abría su maletín y mostraba que se encontraba repleto de billetes.

—¡Caray! —no pudo por menos que exclamar Gacel—. ¿Para qué quiere tanto dinero?

—Es para el ministro de Obras Públicas —replicó el otro con la más absoluta naturalidad, puesto que a aquellas horas el bosque se encontraba plagado de mariposas amarillas—. Es la parte que le corresponde por haberme asignado la contrata de una carretera.

—¿Y hace eso a menudo?

El extraviado ensayó un gesto con la mano como queriendo indicar que había perdido la cuenta.

—Unas ocho o diez veces al año. Somos socios y me proporciona buenos negocios.

—En ese caso será usted bastante rico.

—Lo soy —admitió.

—¿Y si lo es, por qué no deja que sea otro el que se ocupe de entregar ese dinero?

—Porque un ministro no trata con intermediarios —fue la lógica respuesta—. La otra noche tenía que encontrarme con él en un hotel a la salida de Escombreras. ¡Dios Santo! —se lamentó de nuevo—. Pensará que le he traicionado y el próximo contrato se lo dará a ese cerdo de Barbuzano. —Extrajo un puñado de billetes del maletín y se los ofreció al niño—. ¡Toma! —dijo—. Para que me saques de aquí.

—No tiene por qué pagarme —protestó éste—. ¡Venga! —añadió—. Le indicaré el camino.

Lo hizo, precediéndole por las alturas hasta el punto en que se bifurcaban los senderos, donde le repitió cien veces que no tenía más que seguir siempre recto hasta alcanzar la carretera general sin pérdida posible.

Pero el otro —que debía tener espíritu de extravia-do— se perdió de nuevo y continuó dando vueltas y más vueltas aferrado a su negro maletín, sin que nadie viniera a saberlo hasta que una semana más tarde el búho le comunicó al *Gurriato* que eran ya tres los hombres que vagaban estúpidamente por el bosque.

—¡Tres! —exclamó el asombrado Gacel—. ¿Cómo es posible? No existe forma humana de que tres hombres se pierdan en un bosque como éste a no ser que estén borrachos o dormidos.

Pero no estaban ni borrachos ni dormidos puesto que no parecían haberles afectado para nada unas plantas de flores azuladas que ya se habían marchita-do, sino que por el contrario sufrían un insomnio per-manente, fruto del terror que les invadía al imaginar que jamás conseguirían escapar de aquella inmensa cárcel sin barrotes.

Cuando Gacel los encontró lloraban como niños, al tiempo que se sonaban los mocos con billetes de banco que arrugaban más tarde como si fueran «clínex», y al descubrir al pequeño en lo alto de una rama, el que ya le conocía se arrodilló extendiendo las manos hacia él como si fuera un ángel que se le hubiera aparecido bajando de los cielos.

—¡Gracias a Dios que has vuelto! —hipó—. ¡Que el Señor te bendiga! Muéstranos la salida y te daremos lo que nos pidas.

A Gacel le asaltó más tarde la desagradable sensa-ción de que ese día había perdido de forma harto estú-pida la mejor ocasión que nunca se le presentaría de hacerse rico, dado que los otros dos hombres portaban de igual modo maletines cargados de billetes, y de igual modo se mostraban decididos a ofrecérselos con tal de salir de la espesura.

De nuevo replicó que no era necesario y se entiende que posteriormente tuviera razones para lamentarlo, ya que en cuanto comenzó a avanzar por las ramas pidiendo que le siguieran, advirtió que a medida que lo hacían, aquellos hombres iban introduciendo billetes en las grietas de los troncos, y cuando quiso averiguar la razón de tal derroche, le respondieron que era la única forma que se les ocurría de estar seguros de no pasar dos veces por el mismo punto.

—Llevamos tanto tiempo dando vueltas —dijo uno de ellos— que acabaremos por volvernos locos y no nos importa perderlo todo con tal de salir de aquí.

Y lo perdieron, puesto que en aquel bosque había millones de árboles y aunque el niño se esforzaba por mostrarles el camino más corto, sucedía que los que avanzaban al ras del suelo se encontraban de improviso con una espesura tal de matorrales y arbustos espinosos, que se veían obligados a desviarse una y otra vez, hasta que llegó un momento en que Gacel los perdió de vista, y pese a que los llamó a gritos y los buscó por todas partes, no consiguió dar con ellos.

Cuando horas más tarde retrocedió con intención de seguir su rastro por medio de los billetes, fue para descubrir que una pareja de urracas había ido apoderándose del dinero con el fin de construir un enorme nido, lo cual venía a significar que sus crías nacerían en la más costosa cuna que pudiera soñar príncipe alguno.

Los tres hombres malgastaron tres fortunas y Gacel perdió la oportunidad de hacerse rico, pero ese día aprendió que cuando las cosas se ponen realmente difíciles ningún dinero ayuda, puesto que las urracas nunca han sabido distinguir un billete de banco de una hoja de calendario.

Se encontraba tranquilamente sentado sobre una rama que colgaba sobre el río, pescando como solía pescar cada día a media tarde, cuando de improviso advirtió cómo un brazo gigantesco le aferraba por la cintura y por unos instantes le dejaba casi sin aliento.

Era uno de los elefantes más jóvenes —*Mogli* le llamaba el búho—, quien alzándolo con la trompa se lo colocó sobre la cabeza como si no fuera más que un viejo sombrero estrafalario para echar a andar con paso majestuoso bosque adentro.

—¡Eh, tú! —protestó el niño—. ¿Adónde me llevas?

El animal se limitó a lanzar un corto barrido amistoso para continuar su marcha hasta que al cabo de unos diez minutos fue a detenerse ante una alta roca que el chiquillo jamás había visto anteriormente pese a que presumía de conocer el bosque como la palma de su mano.

En su parte más alta se sentaba la mujer de los ojos cambiantes, tan hermosa, que resultaba imposible adivinar si en aquellos momentos tendría veinte años o cuarenta.

—¡Hola! —musitó con su acariciadora voz de siempre—. Hacía mucho tiempo que no nos veíamos.

—Yo a ti te veo a todas horas —replicó Gacel—. De día mirando a mi alrededor y de noche en mis sueños.

—Suena bonito —admitió con un leve gesto de agradecimiento—. Pero hace días que tengo la impresión de algo que te indispone contra mí.. —Señaló al elefante—. Por eso le pedí que te trajera. —Sus ojos cambiaron a negro—. ¿Qué es lo que te molesta? —quiso saber.

—Las mariposas —respondió en el acto el chiquillo señalando una veintena de ellas que revoloteaban a su alrededor—. Cuanto más lo pienso, más convencido estoy de que no tienes derecho a hacer lo que haces.

—¿Y quién eres tú para decidir a lo que tengo o no derecho? —replicó ella con un duro destello en la mirada—. ¿Acaso debo permitir que los hombres continúen envenenándome, ensuciándome y recalentándome hasta que me aniquilen?

El niño se tomó un respiro para responder porque en cierto modo le atemorizaba lo que tenía que decir.

—Te quejas mucho del daño que te causan —señaló al fin—. Y en cierto modo tienes razón. Sin embargo, el otro día me mostraron las fotografías de unos niños que mueren de hambre en África y me pregunto por qué los martirizas tan sádicamente. Nada te han hecho y no obstante les niegas lo más imprescindible. —La observó desde lo alto del elefante, y estaba claro que en esos momentos no sentía miedo al añadir—: ¿Por qué para algunos eres tan generosa y por qué te muestras tan injusta con los más miserables? Mientras no me des una respuesta válida, no alegues que los seres humanos te maltratan. Quizá tú te lo hayas buscado.

Los expresivos ojos se opacaron volviéndose de un gris plomizo y amenazante.

—Eres muy valiente —dijo al fin la mujer, esforzándose por conservar la calma—. Hasta ahora nadie se había atrevido a hablarme de ese modo.

—Será porque todavía no habías creado las mariposas amarillas —le hizo notar Gacel—. Si en su presencia estamos obligados a decir la verdad tendrás que acostumbrarte. Tú inventaste el juego.

Ella le observó como se observa a un animal de cuya existencia se duda pero que aparece de improviso con sus cuatro cabezas y sus antenas en forma de rombo y por último, lanzando un hondo suspiro, murmuró con tristeza:

—No. No son las mariposas las que te obligan a decir lo que piensas; lo harías de igual modo aunque no hubiera ninguna cerca. —Agitó la hermosa melena negra e inclinó la cabeza para mirarle de medio lado—. De modo que pretendes conocer la razón por la que en unos lugares soy demasiado generosa y en otros demasiado avara, ¿no es cierto?

—Exactamente.

—Pues la respuesta es muy sencilla, pequeño; sencilla y comprensible; la culpa no es mía sino vuestra, porque debes tener en cuenta que mi generosidad depende de la cantidad de atención que reciba, y eso es algo que escapa a mi control. —Abrió las manos en lo que pretendía ser un gesto de impotencia—. Es el hombre el que contamina la atmósfera; el que ensucia el agua que necesito para dar buenos frutos y el que tala los bosques que mantienen mi equilibrio impidiendo que los ríos se desborden. También es el hombre el que distribuye de forma injusta mi riqueza y la mejor prueba la tienes en el hecho de que al tiempo que unos gobiernos subvencionan a sus campesinos para que no me cultiven y mantener así artificialmente los precios de los productos, en otros lugares miles de niños mueren de hambre. —Se encogió de hombros—. ¿Acaso es culpa mía si ciertos terratenientes sin escrúpulos dejan sus ricas propiedades en barbecho mientras a muy poca distancia familias enteras se matan arando un pedregal improductivo?

Gacel tuvo la desagradable impresión de que le había dejado sin armas con las que argumentar y por lo tanto se limitó a suplicar una vez más:

—Destruye esas mariposas.

—No puedo —se disculpó ella—. Lo que está hecho, hecho está, y no tengo autoridad para cambiarlo. Cuando llegue el buen tiempo se extenderán por el mundo y el mundo cambiará.

—¿Y quién estará en condiciones de impedirlo? —quiso saber el niño.

—Nadie que yo conozca —fue la respuesta—. O tal vez tú, si es que encuentras la forma de hacerlo.

—¿Acaso existe alguna?

La mujer de los ojos cambiantes miró a su alrededor y no había mariposas amarillas cerca, como si hubieran presentido el peligro, dejándola en libertad de mentir si así lo deseaba.

—Lo ignoro —dijo al fin y sus ojos se tornaron negros—. Pero eres un hombre y el tiempo me ha enseñado que el hombre es el único ser capaz de destruir lo que he creado.

—¿Me odiarás si lo intento? —inquirió tímidamente el niño.

—Jamás podría odiarte —respondió sonriente—.

Quererme no significa que estés de acuerdo con todo lo que haga, de la misma manera que yo te quiero aunque no apruebe todo lo que haces. Una cosa es amar y otra muy distinta esclavizar.

Gacel siempre aprendía de ella y eso fue algo de lo mucho que aprendió aquel día, pues al poco la mujer sacó del pecho un curioso anillo verde, tomó la mano del niño y se lo colocó en el dedo, al que se ajustaba con tanta perfección como si hubiera sido hecho exactamente a su medida.

—Llévalo mientras sientas por mí lo que ahora sientes —musitó en un tono de voz casi suplicante—. Llévalo como prueba de que luchas porque vuelva a ser lo que fui, y si algún día consigues que un millón de seres humanos luzcan un anillo igual, crecerán las simientes allí donde ahora tan sólo crecen piedras, nacerá la hierba en los más calcinados desiertos y aquellos que ahora mueren de hambre recibirán mis mejores frutos cada día.

—¡Un millón...! —exclamó el chiquillo, anonadado—. ¡Un millón son tantos...!

—Uno de cada cinco mil —replicó con calma y ahora sus ojos fueron por un momento azules—. Si uno de cada cinco mil no es capaz de sacrificarse por sus congéneres, significará que la especie humana no merece ser salvada.

—¿Y qué tendrían que hacer?

—Respetarme —fue la sencilla respuesta—. Únicamente respetarme, pues te juro que si tan sólo un millón de personas se preocupan seriamente por mí, seré yo quien me preocupe del resto solucionando sus más graves problemas.

—¿Cómo?

Una mirada de color miel, tan espesa y cálida que parecía que se estuviese desprendiendo en ese mismo instante de un panal, envolvió al pequeño como la más dulce de las promesas.

—Lo sabrás a su tiempo —musitó la hermosa dueña de tal mirada—. Lo sabrás a su tiempo porque tal vez te conviertas en aquel que haga escuchar mi voz al resto de los hombres.

Se dejó deslizar de la roca, le lanzó un beso con la punta de los dedos y se perdió al instante en la espesura, dejando al niño desconsolado y triste, pues pese a saber que pudiera verla en cada flor y en cada árbol, y escuchar su voz cuando el viento agitase el cañaveral, amaba su presencia como no había amado a nada ni a nadie en este mundo.

No durmió esa noche y tendido en la cama el universo se le antojó más pequeño que nunca, pues ni la mayor de las estrellas se atrevía a competir en fulgor con la luz que brillaba en los ojos de aquella a quien los ojos le cambiaban continuamente de color y cuya presencia le faltaba como le falta el aire a quien se precipita al fondo del océano con una piedra al cuello.

Al día siguiente don Constantino observó de inmediato el anillo verde y cuando Gacel le confesó lo que significaba, el magistrado se comportó como un chiquillo fascinado por el nuevo juguete de un amigo.

—Quiero uno —dijo.

Catalina y Benito se sintieron de igual modo hipnotizados por la extraña alianza y por primera vez en mucho tiempo Ramoncín el *Gurriato* pareció interesarse por algo que no fueran los animales.

—Es muy hermoso —musitó, y en alguien como él, decir eso era decirlo todo.

Eran por tanto cuatro los primeros que parecían dispuestos a lucir un anillo verde en el dedo esforzándose por devolverle a la Tierra su pasado esplendor, pero de los cuatro uno era también un niño, otro un supuesto «retrasado», la tercera una pobre mujer maltratada y abandonada y el cuarto un viejo juez empeñado en aprender a hablar con los gorriones y las jirafas. Cuatro, cuando lo que se necesitaba era un millón.

Destruir a las mariposas amarillas y convencer a un millón de personas para que se pusieran uno de aquellos anillos, hubiera constituido una tarea harto difícil para un adulto que tuviese bien asentados los pies en tierra y a todas luces imposible para un mocoso que tan sólo pisaba las ramas de los árboles.

Pero era mucho lo que estaba en juego y Gacel lo sabía.

Por un lado, la paz de un mundo que jamás había estado en completa paz pero que se volvería un infierno si la verdad desnuda se propagaba sin control y por el otro la posibilidad de que la Tierra recuperase su lozanía consiguiendo que los bosques cubrieran de nuevo lo que ahora no eran más que páramos, la erosión dejara de avanzar sin barreras y los desiertos regresaran a sus viejas fronteras.

Era mucho y por lo tanto valía la pena intentarlo.

—Pero ni aunque fuéramos ya ese millón conseguiríamos atrapar a todas las mariposas amarillas de este bosque —le hizo notar don Constantino Alba-Bermejo—. Pululan por doquier y en el tiempo que falta para la primavera no existe forma humana de detenerlas.

Tanto Gacel como Catalina, Benito y el *Gurriato* estuvieron de acuerdo con tal afirmación, pues el simple hecho de intentar atrapar a una sola de aquellas inquietas mariposas exigía horas de correr de un lado para otro advirtiendo cómo la mayoría de las veces se alejaban volando a cortos saltos.

Eran listas las condenadas; listas y tan escurridizas, que cabría imaginar que estaban conscientes de que tenían una importantísima misión que cumplir en un futuro, por lo que no acostumbraban a agruparse, prefiriendo moverse en parejas e incluso en solitario y de igual modo se las encontraba en lo más intrincado de un arbusto espinoso que en la copa de un pino de treinta metros de altura.

Fumigarlas también hubiera exigido un esfuerzo inaudito provocando al propio tiempo la destrucción de otras muchas formas de vida del bosque, pues que se sepa aún no se ha inventado un insecticida que actúe únicamente sobre las mariposas amarillas.

A Gacel de igual modo le preocupaba —y mucho— el hecho de no haber tenido la precaución de preguntarle a la mujer de los ojos cambiantes dónde podría encontrar un millón de anillos como el suyo, pues siendo como era de un material muy duro y resistente, ofrecía no obstante la particularidad de adaptarse al dedo como una segunda piel, al tiempo que producía la inquietante sensación de que se trataba de un objeto dotado de una desconocida forma de vida.

El niño empezaba a intuir que se aproximaban tiempos de grandes prodigios y aunque nunca había pretendido convertirse en el centro de ningún tipo de acontecimiento, sospechaba que la dama de ojos de infinitos colores le tenía reservado un futuro diferente al de cualquier otro niño de este mundo.

La razón de que así fuera no conseguía adivinarla, pues no se consideraba en absoluto distinto a cualquier otro chiquillo de su edad, de cuyas inquietudes tan sólo le diferenciaba el hecho de haber tenido un padre excesivamente violento y un abuelo que había sabido descubrirle la íntima belleza de un oscuro bosque en el que la mayoría de la gente tan sólo alcanzaba a distinguir viejos árboles.

Había aprendido a amar lo que le habían enseñado a amar y como estaba consciente de ello, consideraba que al fin y al cabo ningún mérito era suyo, sino de aquel que supo demostrarle que las más hermosas verdades se esconden entre las hojas de un libro o las hojas de un árbol.

Al notable desasosiego que le producía todo ello vino a unirse al poco tiempo la llegada de las cigüeñas, ya que pese a estar aún a mediados de enero, con nieve en las cumbres, heladas nocturnas y un cierzo que estremecía el país de punta a punta, un atardecer hicieron su aparición en el horizonte una docena de cigüeñas que se distribuyeron por el bosque con la naturalidad de quien se instala en un lujoso hotel reservado de antemano.

En un principio no les prestaron excesiva atención —al fin y al cabo daba igual cigüeñas que loros, focas, jirafas o elefantes—, pero al poco se vieron obligados a tomar conciencia de que ya no podían calcular las estaciones como antaño, y quizás aquella alada invasión anunciaba la posibilidad de que antes de un mes nacieran las primeras flores más allá del pueblo y la desbandada de mariposas que estaban temiendo tuviera lugar antes de lo previsto.

—El tiempo apremia, hijo —le hizo notar don Constantino—. ¡Hay que hacer algo!

Gacel se rompía la cabeza dándole vueltas al problema pero no se le ocurría nada práctico, y fue durante una de aquellas interminables noches que solía pasar buscando soluciones, cuando escuchó por primera vez un sordo rumor que llegaba de lo más profundo de la tierra, al tiempo que advertía cómo el viejo y firme roble se estremecía como si una mano inmensa lo hubiera sacudido de la raíz a la copa.

Al amanecer del tercer día un violento temblor hizo vibrar de nuevo el suelo y en esta ocasión el mismísimo Benito —que solía dormir como una piedra— se irguió de improviso y le miró asustado.

—¿Qué ha sido eso? —quiso saber.

—No tengo ni idea —replicó Gacel, fingiendo una calma que estaba muy lejos de sentir.

De igual modo su madre, don Constantino y el *Gurriato* habían percibido el inexplicable fenómeno, que era en verdad harto inquietante, pues pese a que la radio no hiciera mención a recientes movimientos sísmicos, «algo» se estremecía bajo el suelo del bosque y debía ser gigantesco, ya que era capaz de desarrollar una fuerza tan descomunal que obligaba a agitarse a los más gruesos árboles.

Noche tras noche el estruendo aumentaba, fuera lo que fuera se iba aproximando, y era evidente que se trataba de una presencia amenazante, puesto que incluso los animales comenzaron a ponerse nerviosos vagando de un lado para otro en procura de un refugio inexistente.

—Tienen miedo —musitó al fin el *Gurriato*—. Mucho miedo.

Don Constantino Alba-Bermejo no supo encontrar explicación lógica a unos chirridos que comparó a los que pudiera producir una de las gigantescas excavadoras que horadaban túneles bajo el Canal de la Mancha, por lo que tras pensárselo mucho se limitó a señalar:

—Sea lo que sea, está claro que avanza. Despacio, pero avanza.

Una semana más tarde llegaron no obstante a la conclusión de que no se enfrentaban a una sola «cosa», sino a dos muy diferentes que parecían llegar de direcciones opuestas; la primera viniendo de las montañas y la segunda del valle, desarrollando tal fuerza que en algunos puntos del bosque la tierra se resquebrajaba y los árboles se torcían como si les hubieran cortado de cuajo las raíces.

—Deberíamos irnos —aventuró el magistrado, que tampoco pegaba ojo por las noches—. Aquí está a punto de ocurrir algo terrible.

En Monteoscuro ya no quedaba nadie.

Catalina, que era la única que de vez en cuando se acercaba al pueblo en busca de provisiones, se tropezó una mañana con los últimos vecinos en el momento en que se disponían a huir, dado que también ellos habían advertido los misteriosos temblores subterráneos, y todos parecían absolutamente convencidos de que era obra del diablo que al fin había decidido abandonar los abismos del averno y buscar el camino hacia la superficie para apoderarse de las almas —y los cuerpos— de quienes les habían provocado de forma tan descarada y manifiesta.

—Ha sido culpa de tu hijo —dijeron—. Ojalá se queme en los infiernos, pues a él le debemos haber perdido cuanto teníamos.

Al pobre niño cada día le remordía con más fuerza la conciencia y en ocasiones incluso aceptaba que pudiera ser cierto que sus ofensas al Creador fueran tan graves que, en efecto, Éste hubiese optado por dar autorización a Satanás para salir de su guarida y subir en su busca, pero aun así seguía decidido a continuar viviendo en los árboles y no abandonar el bosque pasara lo que pasase.

Estaba francamente aterrorizado, pero más aún continuaba asustándole un agresivo mundo exterior en el que sabía que jamás volvería a tropezarse con la prodigiosa mujer de los ojos cambiantes.

Llegó de amanecida cruzando sigilosamente el río y se podría asegurar que ni él mismo sabía de dónde venía exactamente, ya que daba la impresión de llevar siglos vagando sin rumbo, y la delgadez de su cuerpo, el brillo enfebrecido de sus ojos y lo andrajoso de sus ropas, denotaban que debía haber pasado por todas las calamidades imaginables antes de alcanzar un bosque que se le debió antojar el mismísimo corazón del paraíso.

Hablaba con un acento exótico y cadencioso, agradeciendo de continuo cuanto hacían por él, aunque aparentando estar siempre asustado, como si temiera que algún enemigo indeterminado pudiera sorprenderle de improviso.

Comía con ansia, observándolo todo con la expresión de quien se asombra de que alguien le preste atención y mencionó luego un larguísimo viaje que le había conducido —cruzando selvas, ríos, montañas y desiertos— hasta un país en el que se sentía acosado, pues tenía plena conciencia de que si caía en manos de las autoridades éstas no dudarían en repatriarle a su lugar de origen, al igual que estaban haciendo con miles de inmigrantes ilegales.

—Y volver a mi patria sería peor que la muerte —dijo al fin—. Pues se encuentra inmersa en una sangrienta guerra civil y cuando mi gente se enfrenta por motivos tribales, morir es lo más agradable que pueda sucederte.

—¿Tiene familia? —quiso saber don Constantino.

—La aniquilaron —replicó con un tono de infinita tristeza—. Siempre fuimos gente de campo, aunque mi padre ahorró para enviarme a estudiar a la capital. Estaba a punto de graduarme en electrónica cuando estalló la guerra y los «xonga», que son desde hace siglos nuestros tradicionales enemigos, entraron una noche en mi aldea y la pasaron a cuchillo.

—¡Qué horror! —no pudo por menos que exclamar Catalina.

—No lo sabe usted bien, señora —admitió el recién llegado—. Pues por lo que más tarde me contaron parece ser que incluso se comieron a mi hermano. ¿Entiende por qué no puedo regresar?

—¿Se lo comieron? —se asombró Benito en el colmo del estupor—. Nunca imaginé que aún existieran caníbales.

—Pues en mi país existen. Sobre todo en tiempos de guerra.

—Siempre supuse que eso tan sólo lo hacían los negros —argumentó Catalina.

Samuel Sengor —que así se llamaba el extraño— pareció sorprenderse, la miró de soslayo como si no hubiera entendido bien, y por último inquirió algo confuso:

—¿Qué ha pretendido decir con eso, señora?

La buena mujer, que daba la impresión de sentirse desconcertada o tal vez avergonzada, concluyó por insistir con timidez:

—Que siempre había oído decir que los casos de canibalismo que aún se producen, tan sólo tienen lugar entre las tribus más primitivas de Nueva Guinea, los salvajes del Amazonas y algunos negros de África.

—Yo nací en África, señora —le hizo notar Samuel Sengor—. Y como puede ver, soy negro.

Sus cuatro interlocutores se observaron sin saber qué decir, miraron al desconocido con mayor atención, y por último Gacel, que se encontraba subido en la rama de siempre y podía estudiarle a la perfección, intervino en ayuda de su madre.

—¿Negro? —inquirió—. ¿Qué clase de negro?

El otro alzó los enormes ojos tristes hacia el niño, que tuvo la impresión de que le recriminaba por su actitud, pero por último se decidió a replicar sin el menor deje de amargura:

—Sólo conozco una clase de negros —musitó—. Los que tienen este color.

Se pasó el dedo por el antebrazo con lo que los dejó a todos de una pieza, pues o se habían vuelto locos, o se estaba burlando de ellos, ya que su piel no se diferenciaba en absoluto de la de Gacel, la de su madre, o la del paliducho don Constantino.

El chiquillo pidió ayuda a este último.

—¡Perdone! —suplicó—. ¿A usted le parece que sea negro? —quiso saber.

—En absoluto.

—¿Y a ti?

Catalina negó de igual modo y se podría asegurar que se sentía muy incómoda.

—Tu padre es más oscuro —dijo.

El pobre hombre dejó de comer y los miró uno tras

otro como si de pronto hubiese sufrido una terrible desilusión al creer que se encontraba entre amigos y descubrir que tan sólo pretendían confundirle.

—No tiene gracia —se lamentó—. Agradezco la comida y la atención que me dispensan, pero esto no tiene gracia. ¿Qué es lo que pretenden?

—¿Con qué? —quiso saber el magistrado.

—Con asegurar que no soy negro. No me avergüenza serlo —añadió—. Nací en el corazón de África, de una familia noble, antigua, y muy honrada, y aunque en este país desprecien a la gente de mi color, el hecho de haberme dado de comer no les permite humillarme.

—Perdone... —le interrumpió don Constantino Alba-Bermejo—. Durante muchos años he sido presidente del Tribunal Supremo de Justicia, me considero un hombre decente, jamás he sido racista, y me tiene absolutamente sin cuidado el color de su piel, pero si lo que pretende es obligarme a decir que es negro, no puedo hacerlo, porque yo le veo del mismo color que cualquiera de nosotros, y tengo la impresión que a mis amigos les ocurre otro tanto.

—¡Pues soy negro! —insistió el otro.

—¡Si usted lo dice...!

Era un diálogo en cierto modo surrealista, pues allí estaban cuatro personas en apariencia cuerdas, intentando distinguir en aquella sonrosada piel algo que la diferenciara de la suya propia, pese a que no existiese forma humana de encontrarlo.

Samuel Sengor tenía los ojos como carbones, el cabello bastante más rizado de lo normal y los labios ligeramente gruesos con los dientes muy fuertes y muy blancos, pero pese a todo ello no había ningún detalle que obligara a pensar que pertenecía a una raza distinta de cuantos le rodeaban.

Durante unos minutos que parecieron horas, nadie se atrevió a abrir la boca, concentrados en la tarea de observar con atención al supuesto «negro».

Por fin este último pareció reparar con mayor atención en los dos chiquillos que aparecían trepados en la rama de un roble que daba peras, se volvió luego al mozarrón de aire alelado que hablaba con un búho, siguió con la vista las evoluciones de un enorme elefante que jugaba en el río con dos focas bajo la atenta mirada de un mono vestido con chaquetilla corta, y por último masculló desconcertado:

—Aquí ocurren cosas muy raras, ¿no es cierto?

—Mucho —admitió don Constantino, evidentemente divertido.

—¿No estarán todos ustedes un poco chiflados? —inquirió el «negro».

—Es posible.

—¿Y no me estaré volviendo loco yo también?

—Quizá.

Samuel Sengor agitó repetidamente la cabeza en un gesto de asentimiento, lanzó una nueva ojeada a cuanto le rodeaba y, por último, comentó:

—Si descubrir un bosque donde nunca hace frío, crecen toda clase de frutos, viven todo tipo de animales, y los blancos no me ven diferente es estar loco, creo que no me importa estarlo. ¿Puedo quedarme?

—Desde luego.

Jamás se ha sabido de nadie que se adaptara de modo tan perfecto a un mundo en cierto modo absurdo, pues excepto al hecho de que crecieran uvas en un abedul, al resto Samuel Sengor no pareció concederle la más mínima importancia, visto que al parecer allá en su aldea también había un anciano que hablaba con los pájaros.

—Lo difícil no es hablar con los pájaros —sentenció—. Eso lo hace cualquiera. Lo verdaderamente difícil es conseguir que te contesten.

Ni siquiera parecieron inmutarle los crujidos subterráneos —«eructos del diablo» los llamaba—, alegando que siempre era conveniente que ocurriesen cosas a las que nadie fuera capaz de dar explicación, pues el día en que el hombre lo entendiera todo sobre el mundo, el mundo se acabaría.

Catalina le regaló un espejo que solía colocar junto a la cara de cualquiera de los presentes para mirarse, hacer comparaciones, y acabar asegurando al tiempo que movía negativamente la cabeza:

—«Pa mí» que sigo siendo negro.

A estas alturas no cabe más remedio que admitir que en efecto lo era, ya que habiendo nacido en África, de padres y abuelos negros, lo lógico es que él también tuviera ese color, pero lo que sí es cierto —y tal vez se trataba de lo más maravilloso de cuanto ocurrió en el bosque en aquel tiempo— es el hecho de que algún increíble prodigio fue capaz de conseguir que al menos por una sola vez todos los hombres pareciesen iguales.

Se estableció en la casa del alcalde de donde acostumbraba a llegar al bosque con la primera luz del alba, aunque algunos días prefería quedarse vagabundeando por las calles de Monteoscuro, ya que él mismo reconocía que pocas cosas le divertían tanto como sentirse dueño absoluto de un pueblo abandonado.

—Lo único que no me gusta —dijo— son esas puñeteras mariposas amarillas. Me erizan el cabello.

Y erizar el ensortijado cabello de Samuel Sengor no era en absoluto empresa fácil.

Cómo consiguió captar que había «algo diferente» en aquellas mariposas jamás logró nadie averiguarlo, pero así fue casi desde el primer momento, y tal era su inquina, que desarrolló una sorprendente habilidad para abatirlas.

Catalina se indignaba cada vez que le veía lanzar un violento e inesperado escupitajo por la comisura de los labios, pero a Benito y a Gacel les fascinaba advertir cómo era capaz de derribar una mariposa en pleno vuelo como si se tratase de un pesado bombardero alcanzado por batería costera durante la batalla de Inglaterra.

Sentía de igual modo una casi obsesiva fascinación por el anillo verde, del que no cesaba de jurar y perjurar «que estaba vivo», y algunas noches se pasaba largas horas contando prodigiosas historias de África, de sus selvas, sus bestias y sus brujos, aunque sin demostrar la más mínima nostalgia, ni el más remoto deseo de regresar.

—Allí tan sólo he dejado odio, hambre y muerte —dijo en cierta ocasión—. Y ésas son cosas que no desaparecen en el transcurso de unos años. Resulta amargo admitirlo —añadió—, pero viniendo de donde vengo prefiero ser negro entre los blancos que negro entre los negros.

—Eso suele ser culpa del colonialismo —aventuró don Constantino—. Siglos de opresión extranjera desembocaron en...

—No busque culpables, señor —le interrumpió el «negro» en el acto—. Los blancos siempre pierden el tiempo buscando culpables cuando de nada sirve acusar ahora a un capitán negrero de hace trescientos años de alimentar el odio de los «xonga». Lo que importa es que ese odio está vivo y no quiero continuar padeciéndolo.

—¿Preferirías que un «neo-nazi» te apalease y le prendiese fuego a tu casa? —quiso saber el magistrado.

—Si un «neo-nazi» me apalease, me curarían en el hospital. Y si quemase mi casa, tal vez el gobierno me proporcionase una nueva, pero si un «xonga» me come el hígado no hay quien me cure, y cuando quemaron mi aldea no había gobierno a quien recurrir. La diferencia es de cuatrocientos años.

Como resulta sencillo comprobar, Samuel Sengor era un africano que en aquellos momentos no tenía la piel oscura ni pensaba como los de su raza, ya que la mayor ilusión de su vida era montar una empresa de ordenadores.

—Ahí está el auténtico futuro —afirmaba—. Y quien pretenda progresar debe olvidar todas esas zarandajas de los orígenes de nuestra cultura y nuestras raíces ancestrales. No se vive de las raíces, sino de los frutos.

A Gacel le caía muy simpático y le encantaba escucharle, y fue por ello por lo que le rogó que le acompañase cuando tuvo que hacer una nueva incursión a los barrancos del Norte.

Por lo que el *Gurriato* había averiguado a través del búho *Serafín*, eran ya multitud los «hombres de negocios» perdidos en un intrincado rincón del bosque que habían convertido en un auténtico basurero, por lo que se hacía necesario encontrar una salida a tan absurdo laberinto, o de lo contrario se corría el riesgo de que una epidemia transformase la pesada broma en una masacre sin sentido.

Parece ser que algunos incluso habían intentado suicidarse colgándose de los árboles, pero que ni siquiera eso habían conseguido debido en parte a que las ramas más gruesas se doblaban bajo su peso depositándolos suavemente en tierra e impidiéndoles llevar a cabo su macabro propósito.

Gacel sabía por experiencia que de nada le serviría intentar mostrarle de nuevo el camino de salida a aquella pobre gente, por lo que decidió actuar a la inversa, y para ello le suplicó al *Gurriato* que intentara conseguir la colaboración de los elefantes.

Fue así como un luminoso amanecer subió a la espalda de *Mogli*, Samuel montó sobre una joven hembra y se pusieron en camino rumbo al Norte.

Las animosas bestias trabajaron de firme desbrozando maleza hasta conseguir abrir un paso a través de los arbustos espinosos por el que se apresuraron a escapar los cautivos dejando atrás cuanto tenían, y cuando el niño le advirtió a uno de ellos que olvidaba un maletín repleto de dinero, el aludido hizo un claro gesto de desprecio con el que pareció querer indicar que estaba dispuesto a vomitar hasta su primera papilla.

—No quiero volver a ver un billete en mi vida —dijo—. ¡Nunca!

Y es que billetes era lo único que se distinguía en aquel rincón del bosque; miles y miles de arrugados billetes que habían servido para todo excepto para lo que en verdad sirve el dinero, ya que al parecer no había suficientes urracas en el país como para tapizar sus nidos con tanto papel inútil.

Lo primero que hizo Samuel Sengor al verlos volar de un lado a otro fue apoderarse de la mayor cantidad posible de ellos, y ocurrió en esos momentos un hecho en verdad desconcertante, puesto que Gacel pudo advertir con toda claridad, que a medida que se iba haciendo más y más rico, la piel se le iba oscureciendo de forma gradual, hasta que cuando al fin el otro se aproximó sonriendo de oreja a oreja abrazando una fortuna incalculable, nadie podría dudar que procedía en efecto del corazón del África más profunda.

Debió notar el asombro del niño porque inquirió en el acto:

—¿Qué te ocurre?

—Has cambiado de color —replicó éste balbuceante.

Samuel Sengor miró el dorso de las manos y negó convencido.

—Yo no noto ninguna diferencia —dijo—. Siempre he sido así.

—Pues te veo negro.

Rió divertido:

—Más vale negro rico que blanco pobre, creo yo. —Se observó de nuevo—. ¿Acaso destiñen los billetes?

—No son los billetes —alegó el pequeño—. Eres tú que oscureces por minutos.

—¿Por qué?

—Tal vez porque se trata de dinero sucio —señaló Gacel—. No puedo saberlo a ciencia cierta.

El africano dudó unos instantes y por último abrió los brazos y dejó caer cuanto llevaba.

—¿Cómo me ves ahora? —inquirió.

—Te vas aclarando —fue la respuesta.

Samuel Sengor se rascó la cabeza desconcertado y lo cierto es que lo estaba y mucho.

—Todo esto es muy extraño —señaló—. Y estoy seguro de que encierra algún tipo de moraleja, pero no puedo adivinar de qué se trata.

—Yo tampoco —admitió el niño—. Y hace ya mucho tiempo que desistí de intentar averiguar por qué ocurren las cosas que aquí ocurren.

—Si te empeñas en intentar comprenderlo todo acabarás por volverte loco —le guiñó un ojo—. ¿O es que ya lo estás?

—Es muy posible...

Mogli había empezado a devorar billetes, lo mismo hacían su compañera, y podría decirse que los encontraban mucho más nutritivos y apetitosos que los tallos más tiernos, por lo que Samuel Sengor señaló a los animales con gesto de disgusto.

—¿Y si también se vuelven negros? —aventuró.

Los observaron largo rato, pero o hubieran necesitado tragarse la mitad del presupuesto nacional, o el dinero no les hacía efecto, por lo que al fin el africano empezó a elegir cuidadosamente los billetes más grandes al tiempo que comentaba:

—A decir verdad, para montar una empresa de computadoras tampoco se necesita un capital enorme, así que avísame cuando me veas como a Michael Jackson.

Demostró no ser en absoluto avaricioso, pues se contentó muy pronto, ya que siendo tanto el dinero que corría libremente por aquel bosque, pocos hubieran resistido la tentación de llevárselo a paladas por muy negra que pudiera habérseles tornado luego la piel e incluso el alma.

Y mayor mérito debía tener tal templanza en quien sabía que su piel era negra y lo sería mientras viviera, tanto si se hacía muy rico, como si continuaba siendo pobre.

Un mirlo que olía a limón trajo noticias de María Manuela.

Estaba triste.

El invierno había sido frío, gris y ventoso, y pese a que parecía que el tiempo anunciaba cambios, Escombreras seguía constituyendo un lugar deprimente, por lo que tanto ella como su familia soñaban con el momento de regresar al único lugar en el que se sentían plenamente felices.

Desde el primer momento Gacel tuvo la impresión de que aquél era un mirlo harto vivaz y de palabra fácil —vista la fluidez del diálogo que mantenía con el *Gurriato*— ya que el antaño reservado y esquivo Ramoncín parecía muy capaz de expresar cuanto quisiera siempre que su interlocutor tuviera plumas.

Cabría hasta cierto punto aventurar que, en realidad, fue aquel desenfadado parlanchín que olía a limón quien hizo concebir a Gacel su idea más original, visto que dos días más tarde tomó la decisión de pedirle al *Gurriato* que convocara a sus alados amigos a una magna asamblea que tendría lugar en la «casa» de la copa del roble.

Acudieron a la cita representantes de casi todas las

aves del bosque, presidía el honorable búho *Serafín*, y visto el curioso lugar en que se celebraba el chico decidió no andarse por las ramas yendo directamente al grano.

—Explícale a tus amigos —le suplicó al *Gurriato*— que la especie humana se encuentra amenazada por culpa de las mariposas amarillas, y que necesitamos su ayuda, pues únicamente los pájaros pueden acabar con ellas antes de que con la llegada de la primavera se extiendan por el mundo.

El bueno de Ramoncín —que estaba demasiado acostumbrado a escuchar cosas extrañas como para que le sorprendiera una aseveración tan pintoresca— le lanzó una larga mirada difícil de interpretar, y comenzó a silbar en aquel «lenguaje» suyo tan peculiar y divertido.

Al poco el búho, una alondra y un zorzal le contestaron, por lo que comentó sin inmutarse:

—Preguntan por qué demonios tienen que molestarse en salvar a una especie que nunca ha hecho más que perseguirles y *Serafín* opina que el mundo estará mucho mejor sin seres humanos.

—Ese búho siempre ha tenido muy mala uva —le hizo notar el niño—. Dile que si no hay seres humanos no tendrá lamparillas para beberse el aceite.

Ramoncín transmitió su mensaje y al poco señaló:

—Dice que el aceite que se fabrica hoy en día le produce acidez de estómago, y que ya la mayor parte de las lamparillas son eléctricas.

Aquello dejó a Gacel sin argumentos, pero como no era cuestión de darse por vencido a las primeras de cambio, insistió tercamente:

—Deben comprender que no pueden permitir que toda una especie desaparezca de la faz de la Tierra.

—¿Por qué? —quiso saber una tórtola.

—Porque, los humanos son los únicos que hacen tales cosas.

—Precisamente por eso, salvar a los humanos significa poner en peligro a otras muchas especies —fue la lógica respuesta de la astuta tórtola—. En buena ley deberíamos negarnos.

Evidentemente aquella desgraciada tórtola tenía toda la razón del mundo y cuando de nuevo se encontraba a punto de admitir que había tenido una descabellada idea y no contaba con argumentos válidos, el chico alzó la mano y mostró el anillo verde.

—Me lo ha dado la mujer de los ojos cambiantes —dijo—. Eso significa que es mi amiga.

—También es amiga nuestra —le hicieron ver—. Nuestra mejor amiga.

—Razón de más para ayudarme —alegó casi a la desesperada—. Si os negáis corréis el riesgo de que se ofenda por no haber ayudado a un amigo común. ¿Qué disculpa podríais darle?

«Traducir» tales conceptos exigió un incontable número de silbidos que estuvieron a punto de dejar al pobre *Gurriato* sin aliento, pero por último, y tras una larga respuesta en la que se armó un «guirigay» en el que todos piaban al unísono a punto de enzarzarse en una trifulca sin sentido, el viejo búho impuso silencio y todos parecieron acatar su innegable autoridad.

—¿Qué ocurre? —quiso saber Gacel.

—*Serafín* ha decidido someterlo a «referéndum» —puntualizó Ramoncín.

—¿«Referéndum»? —se alarmó el pequeño—. ¿Y eso qué significa?

—Que habrá una votación. Si triunfa el «sí» acabarán con las mariposas, pero si el «no» es mayoría, los seres humanos lo van a tener muy crudo.

—¿No puedes hacer nada por evitarlo? —suplicó el chicuelo temiendo un desastre—. Mi abuelo aseguraba que en las votaciones siempre ganan los malos.

—Yo no entro en política —alegó muy serio el *Gurriato*—. Sólo soy el intérprete.

Fue el «referéndum» más curioso que jamás se haya celebrado, y a decir verdad no se hacía en absoluto necesario entender el lenguaje de las aves para comprender —por los gestos y el tono de los trinos— quién estaba a favor, y quién en contra.

El búho, la lechuza, la tórtola, el cuco, el «herrerillo» y el zorzal, se mostraron partidarios de la desaparición de los humanos, mientras que, por el contrario, el mirlo, el «canario» y el petirrojo, el ruiseñor, el gorrión y el colibrí se inclinaron por su continuidad.

La Humanidad nunca ha sabido cuán cerca estuvo del caos, pues fue tan apurado el recuento que al fin se decidió gracias al voto de un «periquito» azul que, curiosamente, era el único que no había abierto el pico en toda la mañana.

—No lo hago por los hombres. Son unos majaderos —dijo—. Lo hago porque esas mariposas también se creen las dueñas del bosque e imaginan que están siempre en posesión de la verdad.

Quien tenga un «periquito» está en la obligación de mimarlo y darle las gracias, pues tal vez le deba a su abuelo la posibilidad de continuar viviendo en un mundo medianamente aceptable.

Lo que no se puede negar es el hecho de que las

aves son unos bichos eminentemente democráticos, ya que una vez hubieron decidido —aunque fuera por tan estrecho margen de votos— que había que acabar con las mariposas amarillas, lo hicieron con entera dedicación y entusiasmo, y fue digno de admirar la forma en que se lanzaron de un lado a otro como flechas vivientes abatiendo a sus presas por muchos saltos que dieran y más profundo que se ocultaran.

Fue una auténtica masacre y al caer la noche el suelo del bosque se encontraba tapizado de cuerpos dorados, hasta el punto de que don Constantino apenas podía dar crédito a sus ojos.

—«Nunca tantos le debieron tanto a tan pocos» —dijo, y Gacel tuvo la impresión de que la frase no era del todo original, aunque no tuviera la más mínima idea de quién había sido Winston Churchill, ni la razón que pudo tener para verse obligado a pronunciarla.

Lo único importante era que se habían librado de una temible amenaza, pues si bien había exagerado de forma harto notoria al asegurar que la especie humana corría peligro de extinción, lo que sí estaba claro es que se hubiera tratado de una conflictiva continuidad en un mundo de por sí en exceso conflictivo.

Le hubiera gustado suplicarle al mirlo que volara a Escombreras y le dijera a María Manuela que su familia podía regresar a Monteoscuro sin peligro de desmembrarse, pero lo cierto es que los temibles ruidos subterráneos parecían aumentar de intensidad día tras día.

—Debe tratarse de un volcán —aventuró al fin don Constantino Alba-Bermejo—. Y temo que está a punto de reventar.

—¿Un volcán? —se alarmó Catalina—. ¿Es posible

que un volcán aparezca así, tan de improviso?

El magistrado se encogió de hombros, dudó unos instantes y por último señaló:

—En cierta ocasión leí que a finales del mil setecientos un volcán surgió inesperadamente en las letrinas de un cura, en las Canarias. El pobre hombre estaba haciendo sus necesidades cuando le comenzó a arder el trasero, y aunque en un principio lo achacó a las almorranas, al poco escuchó un tremendo rugido que no podía provenir en modo alguno de sus tripas, comprendió que cuatrocientos grados era una temperatura excesiva para cualquier almorrana, miró hacia abajo, vio una masa de lava ardiente y salió como alma que lleva el diablo subiéndose la sotana.

—¡Bromea!

—¡Es cierto! —recalcó—. Ese volcán permaneció más de siete años en erupción, dio origen a otros cuarenta y arrasó media isla.

—¿Y qué haremos si ocurre aquí? —quiso saber Samuel Sengor.

—¡Correr! —respondió el magistrado—. ¿Qué otra cosa podríamos hacer?

—No me divierte —señaló el africano—. Pensar que he atravesado medio mundo para llegar al paraíso y que traten de chamuscarme el culo no me parece justo.

Coincidiendo con el final de sus palabras se escuchó un crujido, la tierra se estremeció una vez más, y un enorme castaño que se alzaba a no más de treinta metros de distancia lanzó un gemido y pareció elevarse casi medio metro en el aire.

—¿Qué ha sido eso? —se horrorizó Benito.

—Algo que empuja.

—Sí. Ya lo veo. Algo que empuja, ¿pero qué?

No existía respuesta convincente; ninguna respuesta mínimamente aceptable, y cuando se les pasó el susto y se aproximaron al castaño, fue para constatar que, en efecto, algo increíblemente poderoso parecía estar elevándole desde lo más profundo de la tierra, aunque no se percibiera indicio alguno de calor que hiciera temer la inmediatez de una erupción volcánica.

Esa misma noche, un abedul situado junto a un pequeño claro se partió en dos con un tremendo chasquido, por lo que el pobre Gacel no volvió a conciliar el sueño, tan asustado como no lo había estado desde el día en que dos canallas motorizados arrastraron a su madre por las calles de la ciudad.

Muy a pesar suyo llegó a la conclusión de que si las cosas seguían complicándose se plantearía seriamente la posibilidad de abandonar para siempre el bosque, pues ya eran demasiadas las desgracias que había acarreado su tozudez y empezaba a temer que alguien pudiera morir a causa de un absurdo capricho infantil.

El hecho de descubrir al día siguiente que su madre lucía un anillo exactamente igual al que la mujer de los ojos cambiantes le había regalado, le obligó sin embargo a cambiar de opinión.

—¿De dónde lo has sacado? —quiso saber.

—De ninguna parte —replicó sonriente Catalina—. Es mi alianza de bodas. Como ya no significaba nada decidí pintarla de verde y al poco de volvérmela a poner cambió de aspecto y ahora es exactamente igual a tu famoso anillo verde.

El chiquillo comprendió en ese mismo instante la razón por la que la mujer de los ojos cambiantes no le había dicho dónde podía encontrar tales anillos, y comprendió, también, que no tenía necesidad de molestarse en buscarlos.

No se trataba de algo especial que creciera en un lugar remoto o hubiera que conseguir arriesgando la vida, puesto que su valor no estribaba en la materia de que estuviera fabricado, sino en el hecho de que su dueño deseara de todo corazón lucirlo en el dedo, del mismo modo que el auténtico valor de una alianza no se centraba en lo que pudiera costar en una joyería, sino en el amor que se sentía al ofrecerla.

Gacel sonrió al caer en la cuenta de que la mujer de los ojos cambiantes seguía pensando en él aunque se encontrara muy lejos, y pudo corroborarlo haciendo que el *Gurriato* pintara de verde una simple arandela de metal para constatar que quien se la colocaba tenía la impresión de amar con mayor intensidad al mundo que tenía bajo sus pies, y a las infinitas criaturas que lo poblaban.

Aquel nuevo anillo alejó por tanto sus temores, pues el hecho de averiguar que cualquier persona podía acceder con facilidad a lo que constituía el símbolo de su unión con la tierra, le ayudó a convencerse de que nada malo podría acontecer viniendo de las entrañas de esa misma tierra, y que todos aquellos ruidos y temblores responderían a razones muy poderosas y concretas que pronto o tarde conseguiría desvelar.

Decidió por tanto esperar los acontecimientos, y jamás se arrepintió de tal decisión, porque cuanto ocurrió en los días que siguieron superó con mucho cuanto de portentoso le hubiera podido ocurrir hasta el presente, y aquella a quien tanto amaba le demostró a su vez su amor de la forma más extraordinaria que nadie hiciera nunca.

Benito prefirió sin embargo regresar con los suyos y a Gacel no le sorprendió tal decisión pues había advertido que en los últimos tiempos su amigo se encontraba a menudo mustio y decaído, ya que pasada la primera emoción de caminar por las ramas de los árboles y asistir a tantos fenómenos absurdos, echaba de menos a su familia.

—Tengo que volver —señaló una noche en la que permanecían despiertos contemplando las estrellas y esperando un nuevo rugido o un nuevo temblor de tierra—. Ahora que ya ha desaparecido el problema de las mariposas es mejor que volvamos al pueblo. A mi familia no le gusta la ciudad.

—Lo comprendo —admitió Gacel—. Yo tengo aquí a mi madre, preferiría no volver a ver a mi padre, pero tu caso es diferente.

—Me duele abandonarte en un momento como éste —musitó Benito.

—No me abandonas —le hizo notar el chicuelo—. Se puede abandonar a alguien que tenemos muy cerca, y seguir unido a personas que están a miles de kilómetros de distancia. Tú serás siempre mi mejor amigo donde quiera que te encuentres.

—¿Y el *Gurriato*?

—El *Gurriato* es distinto —fue la sincera respuesta—. Le quiero como a un hermano, pero jamás podría hablar con él de lo que hablo contigo.

—¿Bajarás de estos árboles algún día? —quiso saber Benito.

—Lo ignoro —admitió Gacel—. Pero puedes estar

seguro de que si me veo obligado a hacerlo me sentiré muy desgraciado. —Le miró con afecto—. Tú eres el único que puede entenderlo porque eres el único que ha vivido aquí arriba.

—En efecto —admitió el otro—. Lo soy.

Se marchó al día siguiente y Samuel Sengor se brindó a acompañarle hasta San Vicente, donde residían ahora sus padres, pues tenía intención de fundar cuanto antes su empresa de ordenadores.

—No escapé de las selvas africanas para pasar el resto de mi vida en un bosque europeo aunque se trata de un bosque encantado —comentó a modo de justificación—. Quiero demostrarme a mí mismo, y a mi padre, aunque ya no pueda verlo, que los sacrificios que hizo para que estudiara sirvieron de algo. Seré el primer miembro de mi tribu que se convierte en un genio de la informática.

Gacel le aconsejó a Benito que recogiera del bosque algún dinero que sacara de apuros a su familia y le compensara por los muchos disgustos que les había proporcionado, y esa noche no pudo evitar llorar a solas y en silencio, pues la marcha de su amigo de siempre dejaba un amargo vacío en su interior.

Al alba la tierra tembló con más fuerza que nunca y el castaño se derrumbó como un castillo de naipes.

El abedul saltó hecho astillas y Catalina insistió en ofrecerle una novena a Santa Bárbara por aquello de los truenos, y porque no tenía ni la más remota idea de qué santo podría ocuparse de los inexplicables fenómenos que llegaban directamente del corazón de la tierra.

Don Constantino Alba-Bermejo parecía a su vez profundamente preocupado, y el *Gurriato* no tenía con quien hablar, puesto que la mayoría de los pájaros habían huido.

Elefantes, jirafas, caballos, monos y ardillas andaban de igual modo perdidos por los confines del bosque.

A media tarde algo comenzó a surgir por fin de entre las raíces del castaño.

Aparecía cubierto de musgo, y aunque se aproximaron con mil precauciones, no osaron tocarlo, pues semejaba un enorme cono amenazante que vibraba como si el esfuerzo que tenía que hacer en su deseo de emerger le obligara a estremecerse hasta el punto de que abrigaron la impresión de que estaba dotado de una inconcreta forma de vida y lo que en verdad estaba haciendo era «nacer».

Cuando al amanecer del día siguiente Gacel avanzó por las ramas hacia el punto en que «aquella cosa» se encontraba, su asombro fue tal que la boca se le abrió más aún de lo que solía abrírsele al mismísimo *Gurriato* en sus mejores tiempos.

Lo que aparecía ante sus ojos no era ya una «cosa» sino dos muy diferentes que durante la noche habían ido emergiendo casi al unísono para quedar la una frente a la otra; a cuál más reluciente y amenazante; a cuál más espectacular y majestuosa.

El niño no entendía mucho de armas, pero había visto suficientes películas y noticiarios de la televisión como para comprender que lo que se alzaba frente a él eran en realidad dos gigantescos «misiles» nucleares que aparecían erguidos en toda su altura, apuntando al cielo, orgullosos y desafiantes a no más de treinta metros de distancia el uno del otro.

En la parte alta del primero pudo distinguir con toda claridad la multicolor bandera americana de las barras y las estrellas, y en el otro la tan conocida insignia de la roja hoz y el martillo.

Tomó asiento en la rama de un tamarindo intentando entender cómo era posible que aquellas máquinas infernales hubieran llegado hasta allí atravesando el corazón de la Tierra, hasta que al cabo de media hora hicieron su aparición Catalina, don Constantino y el *Gurriato* que necesitaron de igual modo un tiempo prudencial para conseguir dar crédito a sus ojos.

—¿Qué significa esto? —gritó por último el chiquillo.

—No lo sé —admitió el ex presidente del Tribunal Supremo de Justicia—. Es lo más increíble que he visto nunca.

—¿Pero qué hace aquí? —insistió.

—Si están provistos de cabezas nucleares puede significar la guerra —fue la respuesta—. Pero si están desarmados, tal vez signifique la paz.

—¿Y cómo lo sabremos?

Curiosamente —y eso era algo que Gacel jamás hubiera imaginado— fue su madre quien se atrevió a avanzar hasta el más cercano de los «misiles» para rozarlo apenas con la punta de los dedos y tomar la decisión más arriesgada de su vida al alargar la mano y abrir una especie de trampilla que se encontraba a la altura de su cabeza.

Una cascada de pequeñas bolas de un rojo oscuro se precipitó de inmediato al suelo cubriendo un amplio espacio a su alrededor.

—¿Qué es eso? —inquirió el niño desde lo alto.

En esta ocasión fue el magistrado el que recogió

una, la estudió con detenimiento y acabó por morderla partiéndola en dos.

—Parecen semillas —dijo al fin visiblemente desconcertado.

—¿Semillas? —repitió el confuso Gacel—. ¿Semillas de qué?

Don Constantino Alba-Bermejo se limitó a encogerse de hombros.

—No tengo ni la más mínima idea —admitió—. Jamás las había visto.

El *Gurriato*, que se había aproximado mientras tanto al segundo «misil», giró a su alrededor, lo abrió, y de igual modo se desparramó a su alrededor una auténtica catarata de semillas distintas a las primeras.

Perplejidad no es palabra que baste para expresar la intensidad del desconcierto que sentían, pese a que se tratara de cuatro personas harto habituales a las sorpresas.

Ni perplejidad, ni asombro, ni desconcierto, ni aun estupefacción.

¿Quién podía entretenerse en enviar aquellas máquinas de guerra cargadas de semillas desde lugares tan remotos?

¿Qué pretendía con eso?

¿Y qué crecería en aquel prodigioso bosque cuando germinasen unas misteriosas semillas llegadas de Dios sabe dónde?

El hombre que había presidido durante muchos años la máxima corte de justicia del país y que se había enfrentado a tantas situaciones difíciles, permaneció un largo rato meditabundo, se rascó absorto la blanquísima barba y por último alzó sus azules ojos traslúcidos para sonreír levemente, y musitar:

—¿Quieren que les confiese una cosa? Puede que me equivoque, pero tengo la impresión de que al fin ha estallado la paz en el mundo y tal vez sea éste su primer monumento.

—¿Un monumento a la paz? —se sorprendió Catalina—. ¿Qué clase de paz?

El magistrado le lanzó una dura mirada de reproche como si le decepcionara tal prueba de estupidez.

—La paz no es más que paz —dijo—. Las guerras pueden ser de muchas clases: civiles, ideológicas, económicas e incluso religiosas, pero paz tan sólo hay una. —Hizo una corta pausa y añadió—: Aunque también es posible que se trate de un monumento a la estupidez humana, que fue capaz de emplear tanto esfuerzo y tanto dinero en algo tan inútil.

Apareció el día en que empezaba la primavera, más hermosa que nunca.

Sus ojos eran verdes, y verde su precioso vestido largo, con el negrísimo cabello recogido bajo una diadema de esmeraldas, y la piel tan blanca, fresca y reluciente, que incluso una niña hubiera sentido envidia ante su tersura.

Nada tenía que ver con la anciana hedionda que Gacel descubriera un día en el sendero del bosque, ni nada con nadie de quien se hubiera oído hablar anteriormente, pues era más bien como un sueño de adolescente ansioso de enamorarse, o como el hada que hubiera decidido escapar de un fabuloso cuento infantil.

—¿A dónde vas tan elegante? —quiso saber Gacel al verla, y ella debió notar un leve tono de resquemor y celos en su voz, porque replicó con intención:

—A ver a mi amor.

—¿Y quién es tu amor? —balbuceó estúpidamente el niño.

—Aquel que lleva mi anillo —musitó sonriente, para añadir guiñando uno de aquellos ojos absolutamente únicos—: ¿Tan poca cosa te consideras que no crees que me haya vestido así para venir a verte?

—¿Te has puesto tan guapa para mí? —se asombró el pequeño al tiempo que el corazón le saltaba en el pecho como una pelota de pimpón—. ¿Sólo por mí?

—¿Por quién si no? Tú eres el único que me ha demostrado amor sin pedir nada a cambio; me respetas como nadie me había respetado, y me cuidaste cuando más lo necesitaba. —Alargó la mano y le acarició con ternura la mejilla—. Además —musitó—, hoy es un día muy especial.

La pelota de pimpón se detuvo en seco y quedó como muerta, puesto que aquella última frase obligaba a temer algo terrible.

—¿Qué quieres decir con eso? —inquirió el chiquillo a duras penas.

—Quiero decir que hoy es el día en que voy a pedirte que bajes de los árboles, y consientas en que el bosque recupere su viejo aspecto. —Sus ojos siguieron siendo verdes, pero ahora eran tristes—. Es el día en que debemos despedirnos para siempre.

Probablemente nadie sintió jamás un dolor tan intenso.

Ni una pena tan honda.

Ni una amargura tan ácida.

—¿Por qué? —se atrevió a preguntar Gacel al fin—. ¿Por qué he de permitir que el mundo vuelva a ser tan odioso como antes?

—Porque ese mundo, y el universo entero, se rigen por unas normas que no pueden alterarse durante demasiado tiempo. —La mujer hizo un ademán mostrando cuanto la rodeaba, para añadir con innegable amargura—: Cuanto aquí ha sucedido constituye una hermosa excepción, pero si se prolongase en exceso pondría en peligro un difícil equilibrio que ha costado millones de años establecer.

—Un equilibrio injusto —le hizo notar.

—Justo o injusto, es el único que tenemos —replicó—. Y el mejor que se ha logrado después de incontables intentos fallidos. Desde luego es mejor que los terribles tiempos en que los dinosaurios me pisoteaban la cabeza, o unos hielos eternos me mantenían como muerta. —Le acarició de nuevo—. No es malo lo que existe —añadió—. Lo malo es cómo se utiliza, y tu misión será enseñar a utilizarlo de ahora en adelante.

—¿Mi misión? —se asombró—. ¿Qué puedo hacer yo? Tan sólo soy un niño.

—Son los niños los que sueñan con cambiar las cosas —fue la respuesta—. Cuando se convierten en adultos la mayoría olvidan sus sueños, pero unos pocos, los elegidos, los recuerdan y luchan por convertirlos en realidad. —Le miró a los ojos—. Tú serás uno de ellos.

—¿Por qué yo?

—Porque tienes que demostrar que eres digno de mi amor. —Sonrió y era la suya una sonrisa deslumbrante—. Será como una de esas pruebas que se le ponen a los amantes. —Rió abiertamente—. Pero no se trata de luchar con dragones ni gigantes. Se trata de que des un pequeño paso y bajes de ese árbol.

—No es tan pequeño —protestó Gacel—. Para mí significa mucho.

—Como pisar la luna —admitió ella con cierta ironía—. Aquél también fue un pequeño paso que representaba mucho y lo cierto es que no me hizo ninguna

gracia que alguien a quien yo había criado y alimentado le diera tanta importancia al hecho de visitar un
planeta muerto. Pero dejemos eso —concluyó—. ¿Ha-
rás lo que te pido?

—¿Y qué es lo que pides exactamente? —quiso saber el niño sin conseguir disimular su inquietud.

—Que abandones el bosque y consigas que la mayor cantidad de gente posible lleve un anillo verde en
señal de que en verdad me respeta.

Gacel pareció meditar muy seriamente la respuesta, pues se diría que tenía plena conciencia de lo que
se estaba jugando, ya que amaba sobre todas las cosas
aquel bosque y aquella forma de vida, y no existía absolutamente nada en este mundo, ¡ni reinos, ni impe-
rios, ni valiosos tesoros!, que pudieran compensarle
por el hecho de tener que abandonar el paraíso y descender a los infiernos.

—¿Y si no lo consigo...? —protestó—. Me habré
sacrificado inútilmente.

—Ningún sacrificio es inútil si se hace por aquel a
quien se ama. —La mujer de los ojos cambiantes le
besó dulcemente en la frente—. Tienes que intentarlo
aunque tan sólo sea porque yo te lo pido.

Al niño se le saltaron las lágrimas porque lo que le
estaban pidiendo era mucho más de lo que se le podía
pedir a un ser humano, sobre todo si ese ser humano se
había acostumbrado a vivir en las copas de los árboles.

La vida, allá abajo, no tenía a su modo de ver el más
mínimo sentido, y un futuro en el que todo volviera a la
normalidad, ya no sería nunca un hermoso futuro, sino
tan sólo un triste pasado un millón de veces repetido.

La miró a los ojos.

Ahora eran grises.

Le acarició el cabello.

Era como acariciar las nubes en la noche.

Aspiró su perfume.

Fue como oler la primavera.

—¡Deja que me quede! —suplicó el niño por última vez.

—Eres libre de hacerlo —replicó ella—. No es una orden. Tan sólo ha sido un ruego.

Aceptó, ¿qué remedio le quedaba?

La amaba tanto y deseaba tanto que otros muchos la amasen tal como él lo hacía, que decidió renunciar a la gloria de vivir en los cielos abandonando el bosque con todo lo que representaba.

Fue en ese momento cuando ella le besó en los labios, sonrió feliz y señaló en un tono diferente:

—Sabía que lo harías. Sabía que serías capaz de sacrificarte, porque el mismo día en que te conocí comprendí que eras aquel que estaba esperando desde hacía muchos años; tal vez siglos.

—¿Esperando? —no pudo por menos que repetir el niño—. ¿Esperando para qué?

—Para llevar a cabo una gran tarea que muy pocos hombres serían capaces de afrontar.

—¿Una gran tarea? —repitió de nuevo Gacel que a aquellas alturas tenía razones más que sobradas para alarmarse—. ¿Qué clase de tarea?

—Salvar a mis más hermosas criaturas —replicó la enigmática mujer de los ojos cambiantes con tanta naturalidad que la inquietud del niño fue en aumento—. Las que más amo y que se encuentran ahora en peligro de extinción.

—¿Y qué criaturas son ésas? —Casi se atragantó el chiquillo, que a cada minuto que pasaba las ideas se le confundían cada vez más.

—Elefantes, jirafas, rinocerontes, ñus, hipopótamos, cebras, antílopes, avestruces y todos cuantos se están quedando sin espacio en África, donde las sequías, la superpoblación y las cacerías llevan camino de aniquilarlas.

—¿Y qué pretendes que haga con ellas? —inquirió el asombrado Gacel.

—Trasladarlas a Sudamérica —fue la sencilla respuesta—. Allí, en las praderas de la Gran Sabana y las selvas amazónicas se reproducirán sin problema pues son regiones vírgenes que no están amenazadas de superpoblación. Tan sólo habrá que preocuparse de la desforestación.

Todo aquello resultaba cada vez más extraño; cada vez más absurdo y sorprendente, pues costaba aceptar que unos animales que habían nacido y se habían criado en África, pudieran aclimatarse a un nuevo continente.

—No es un nuevo continente —se limitó a señalar la mujer de los ojos cambiantes—. En los orígenes África y Sudamérica estuvieron unidas y su conformación es casi idéntica. También lo es la acidez de las tierras, el tipo de gramíneas y muchos de sus árboles. Tras el cataclismo que las separó, en África aparecieron las especies que ahora corren peligro, y que de no existir el océano se habrían desplazado también a Sudamérica. —Guiñó un ojo con picardía—. Lo único que tienes que hacer es ayudarles a atravesar ese océano.

—¿Ayudarles a atravesar el océano? —repitió el

niño casi sin aliento—. ¿Te has creído que soy Noé?

—No —rió ella divertida—. Ya sé que no eres Noé, aunque está claro que te hará falta un Arca. Por eso voy hacerte el regalo más valioso que jamás se le haya hecho a un ser humano. De ese modo conseguirás el respeto y la ayuda que vas a necesitar.

Gacel trató de imaginar cuál podría ser ese regalo tan prodigioso, pero no se le ocurrió nada que justificase tan rotunda afirmación.

¿Podría tratarse de oro, de diamantes, de esmeraldas, o tal vez del amor?

Pero el amor ya lo tenía.

Y muchos otros también lo habían tenido.

¿Quizá la fe?

¿La eterna juventud?

¿La inmortalidad?

La extraña mujer no le dejó excesivo tiempo para pensar en ello, puesto que a los pocos instantes sus ojos relampaguearon casi burlones y depositó en su mano una diminuta caja de cristal.

—¡Toma! —susurró.

Contenía una mosca.

Sólo eso: una sencilla mosca.

Una mosca común de las que se pueden encontrar en cualquier casa, cualquier campo, cualquier plato de sopa y sobre todo cualquier estercolero.

—¿Qué es esto? —balbuceó Gacel a todas luces decepcionado.

—Una mosca —señaló ella.

—Eso ya lo veo —admitió él—. ¿Pero qué tiene de tan increíblemente valioso una mosca?

—Que es una simple mosca de la fruta, y está fecundada por otra simple mosca de la fruta —respondió ella con calma.

—¿Y eso qué significa?

—Que si la colocas en un lugar caliente y húmedo, pronto tendrás millones de moscas semejantes y esos millones engendrarán una cantidad astronómica de crías porque su capacidad de reproducirse es algo que incluso a mí me sorprende.

El pequeño se sentía cada vez más desilusionado, atacado por un invencible deseo de aplastar la mosca o romper a llorar de rabia, pues nada había pedido y se le antojaba una humillación inadmisible que se estuvieran burlando de él de aquella forma.

—¿Por qué haces esto? —quiso saber.

—Porque te quiero —susurró ella—. Y porque te he elegido para que me representes ante los hombres. A partir de ahora te respetarán más que a nadie.

Abrió la mano y le mostró la caja.

—¿Con esto? —exclamó en el colmo de la indignación—. ¿Con una simple mosca?

—Con una simple mosca sin cerebro ni memoria, que muy pronto se convertirá en miles de millones de estúpidas moscas desmemoriadas.

—¡No lo entiendo! —resopló el mocoso—. Creo que jamás conseguiría entenderlo.

—Te equivocas —fue la dulce respuesta—. Lo único que tienes que procurar es que esas moscas vivan y se reproduzcan en lugares lisos y cerrados donde tan sólo dispongan de un alimento que embadurne ligeramente las paredes. Sólo eso.

—¿Y qué obtendré con ello...?

—Que por lógica las hembras «exigirán» un «nido»

en el que poner sus huevos para que nazcan y se alimenten las larvas.

—Si tú lo dices, supongo que así será —replicó Gacel en tono hiriente—. Debes saber mucho de moscas.

—Así es —admitió ella sin molestarse—. Como necesitarán un lugar en el que reproducirse deberás extender por el suelo las semillas que has encontrado en el interior de los «misiles».

—¿Las semillas de los «misiles»? —repitió él en el colmo de la incredulidad—. ¿Entonces fuiste tú quien los trajo hasta aquí?

—¿Quién si no? —inquirió la mujer con un divertido destello en los ojos—. Necesitaba hacerte llegar esas semillas, y como unas procedían de oriente y otras de occidente se me ocurrió utilizar un par de viejos «misiles» abandonados en sus «silos» como medio de transporte. Fue muy divertido.

—¡Fue una canallada! —le contradijo el niño—. Me diste un susto de muerte. No tengo ni idea de adónde pretendes ir a parar con todo esto —añadió cada vez más confuso—. ¿Pero qué interés puede tener que esas moscas depositen sus larvas en uno u otro tipo de semillas?

—Mucho —replicó ella dulcemente y ahora sus ojos aparecían más negros que nunca—. Mucho más del que imaginas, porque en el transcurso de treinta generaciones, que dado el ciclo vital de las moscas no significa demasiado tiempo, las larvas que al nacer se hayan alimentado de esas semillas, y las hembras que hayan tomado la costumbre de depositar en ellas sus huevos, ya no podrán reproducirse si no tienen a su alcance esas mismas semillas. Habrá llegado entonces el momento de concederles la libertad.

—¿Para qué? —quiso saber Gacel—. ¿Qué habré conseguido con eso?

—Una plaga.

—¿Una plaga? —se horrorizó—. ¿No crees que el mundo tiene ya suficientes plagas como para que le proporcionemos otra?

—Ninguna como ésta.

—¿Qué tiene de especial?

—¡Las moscas nada! —puntualizó ella—. Lo único especial son las semillas.

—¿Y qué tienen de tan particular esas semillas?

—Que pertenecen a dos tipos de plantas muy distintas —especificó ella—. De las del «misil» americano nace el arbusto que produce la coca de la que se extrae la «cocaína». Y de las del «misil» ruso nace la planta que produce la amapola de la que se sintetiza el opio y que acaba por convertirse en «heroína».

Una luz se hizo en el cerebro de Gacel, que podía no ser un niño excesivamente culto, pero que pareció captar de inmediato que lo que acababa de oír era realmente importante.

—¿Estás insinuando que...?

La mujer de los ojos cambiantes asintió sonriente.

—Que con esa simple mosca de la fruta puedes crear una plaga que en poco tiempo acabe con la mayor parte de las plantaciones de estupefacientes del mundo —dijo—. Divídelas en dos grupos; a las que aniden en las semillas de coca, mézclales pequeñas dosis de cocaína en la comida y a las que aniden en las semillas del opio, otro tanto de heroína. En el transcurso de unos años habrás conseguido dos especies distintas de moscas drogodependientes que buscarán los cultivos en las selvas más profundas, los atacarán, pudrirán sus simientes y los reducirán poco a poco hasta lograr su total extinción.

—¿Y no existirá más droga? —exclamó el niño fascinado.

—No tal como se conoce ahora —admitió ella—. Lo cual significa que se habrá acabado con el principal problema de la sociedad y, sobre todo, de la juventud. —Sonrió—. Y en ese momento el mundo te respetará y te ayudará en lo que te he pedido.

—Pero fuiste tú misma quien creó esas plantas —le hizo notar—. ¿Cómo es que ahora pretendes destruirlas?

—Porque yo las creé con el fin de aliviar los dolores —puntualizó—. Fue el hombre el que le dio un mal uso. Los científicos supieron ingeniárselas para convertir suaves narcóticos en algo terrible, pero no se esfuerzan de igual modo por desarrollar una plaga que acabe con las plantas de las que se extraen esos narcóticos. —Sonrió con amargura—. Y lo más triste es que poseen medios para lograr empeños muchísimo más difíciles. Cada día sorprenden al mundo con adelantos increíbles, pero a ninguno se le ocurre algo tan simple como atacar en su raíz a lo que se ha convertido en el más terrible azote de la sociedad.

—¿Y por qué no lo hacen? —inquirió Gacel.

—Lo ignoro —admitió la mujer—. Tal vez se deba a la desidia, a que existen demasiados intereses económicos, o a que la Humanidad es estúpida. —Sonrió con dulzura—. Pero confío en que el día en que esos absurdos e inútiles «misiles» se hayan transformado en monumentos a la paz, y esas moscas arrasen las plantaciones de droga, los políticos comiencen a comportarse de un modo más inteligente dedicando más atención, tanto a mí, como a mis criaturas. —Extendió de nuevo la mano y le revolvió el cabello—. ¿Crees que conseguirás salvarlas?

—Ten presente que pese a todo tan sólo soy un niño —puntualizó Gacel—. Y que apenas tengo algo más que lo que llevo puesto. ¿No te parece una misión demasiado grande para alguien como yo? Necesitaría muchísima ayuda.

—No lo creo —le hizo notar ella—. Los hombres suelen asegurar que la unión hace la fuerza, pero eso no es del todo cierto, porque cuando más tarde se produce la desunión la debilidad resulta mucho más acusada. La verdadera fuerza la posee aquel que es fuerte en espíritu, ya que lo seguirá siendo aunque le dejen solo. De todos modos —añadió—, te ayudarán aquellos que lleven un anillo verde. —Hizo una significativa pausa y bajó mucho la voz—. En la parte norte del bosque revolotean fortunas sin dueño a la espera de que alguien les dé un destino más noble que corromper políticos —añadió al tiempo que le lanzaba un beso de despedida—. Apodérate de ese dinero, cría millones de moscas, construye hermosos monumentos que recuerden a las generaciones futuras que hubo un tiempo en que la Humanidad estuvo a punto de perecer por culpa de una estúpida locura nuclear, y fleta enormes barcos con los que ayudar a cruzar el océano a mis jirafas, mis gacelas y mis elefantes.

—Luego lo tenías todo calculado —musitó Gacel—. Todo respondía a un plan.

—«Ni la hoja de un árbol baila al son del viento si no es su creador el que hace sonar la música» —replicó ella al tiempo que desaparecía para siempre—. ¡Recuérdalo...! ¡Ni una hoja!

Gacel, su madre, don Constantino Alba-Bermejo y Ramoncín el *Gurriato* recogieron montañas de dinero sin que su piel cambiara de color, abandonaron un amanecer el frondoso bosque de Monteoscuro, y dedicaron el resto de sus vidas a criar moscas drogodependientes, levantar monumentos a la paz, y trasladar animales en peligro de extinción a Sudamérica.

Era aquélla, quizá, la más fantástica tarea a que se hubiera enfrentado niño alguno, y Gacel se sintió inmensamente satisfecho llevándola a cabo, pero eso no impidió en modo alguno que cada mañana mirase a su alrededor, evocase el pasado, y experimentase unos incontenibles deseos de llorar al recordar el encantado bosque en que fue tan feliz, y a la hermosísima mujer de los ojos cambiantes.

Y es que la nostalgia, como el amor, nunca tuvo edad.

Alberto Vázquez-Figueroa
Lanzarote, octubre 1992

Impreso en Printer Industria Gráfica, sa
Sant Vicenç dels Horts (Barcelona)